인간은 죽지 않는다

Humans do not die

남지심

인간은 죽지 않는다
2*2

목차

9

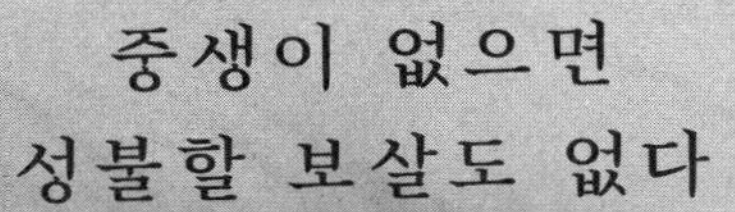

중생이 없으면
성불할 보살도 없다

"혜륜 씨가 도착 1호군요."

원해가 환한 얼굴로 반겼다.

"그러네요. 그럼 2호는 누굴까요?"

"노 기잘 거 같은데요."

원해 말이 채 끝나기도 전에 노 기자가 들어왔다.

"호호호. 그럼 3호는요?"

"3호는 향산 아닐까요? "

그럴 때 향산이 뒤이어 들어왔다. 그러자 두 사람은 유쾌하게 웃었다.

"우리 오늘부터 돗자리 폅시다."

"저는 아니고요. 선생님만요."

"돗자리를 펴다니요. 무슨 말씀들을 하신 겁니까?"

향산이 자리에 앉으며 물었다.

"들어오신 순서요."

혜륜이 대신 답했다.

"이젠 커피를 내려도 되겠군. 어서 앉게."

원해가 자리에서 일어나 싱크대 쪽으로 갔다. 잠시 후 커피콩 가는 소리가 들리고 커피 향이 실내에 가득 퍼질 때 손 교수가 들어왔다.

"커피 향이 사람을 유혹하는군요. 다들 저보다 먼저 오셨습니다."

손 교수가 눈으로 인사를 하며 자리에 앉았다. 그때 원해가 커피잔이 담긴 쟁반을 들고 와 각자 앞에 놓아 주었다. 커피를 마시며 코로나 얘기를 하던 그들의 대화는 외국 여행으로 옮겨졌고, 여행을 할 수 없는 답답함을 얘기하다가 원해의 말을 듣고 모두 폭소를 터트렸다.

"제가 나가던 절에서 인도로 성지순례를 간다고 해서 따라갔습니다. 잔뜩 기대를 하고 인도 땅에 첫발을 디뎠는데 저를 처음 반긴 건 꼬마 계집아이였습니다. 동생을 등에 업고 돈을 달라고 애처로운 표정을 짓는데 커다란 두 눈이 너무도 예뻤습니다. 그래서 저는 주머니에서 10달러를 꺼내 줬습니다. 그랬더니 꼬마는 제 손에 든 돈을 낚아채듯 뺏어 가지고는 또 다른 사람한테 가서 애처로운 표정을 지으며 구걸하는 것이었습니다. 순간적으로 괘씸한 생각이 들어 얼굴이 뻘게지더군요. 당연히 받아야 할 고맙다는 인사를 받지 못해서 그랬던 거 같습니다. 그런 제 모습을 옆에서 지켜보던 노 보살님이 넌지시 한마디 하시더군요. '여기 거지들은 애고 어른이고 고맙다는 생각을 안 해요. 내가 너한테 보시할 기회를 줬는데 내가 왜 너한테 고맙다는 마음을 가져야 하느냐는 거죠. 그리고 한 번에 10달러를 주면 오늘 중으로 주머니가 다 털리니 조심하세요.' 그날 노 보살님에게 들은 말을 가끔 수수께끼 풀듯 떠올려 봤죠. 내가 너한테 보시할 기회를 줬는데 내가 왜 너한테 고맙다는 마음을 내야 하나? 맞는 말인 것 같기도 하고 틀린 말인 것 같기도 해서 늘 고개를 갸우뚱했죠. 그러다가 불교책을 읽으면서 그 답을 풀었습니다. 책 제목은 생각나지 않는데 그 책에는 이런 말이 있더군요. '중생이 없으면 성불할 보살도 없다.' 중생은 보살을 성불시키는 복밭이라는 거죠. 이해가 되십니까?"

원해가 커피를 한 모금 마시며 물었다.

"이해는 되지 않지만 한 대 얻어맞은 거 같은 기분은 듭니다. 저는 향산재단 이사장 집 장남으로 태어났으니 흔히 말하는 금수저 그룹에 낀 거죠. 그러다 보니 자연히 받는 쪽보다는 주는 쪽에 서게 됐는데, 이게 저를 교만의 수렁으로 몰고 간 거 같습니다. 학교뿐 아니라 사회에서도 굽실거리지 않는 사람을 보면 괘씸죄로 걸고 싶어지니 말입니다."

향산의 말을 듣고 모두 어리둥절한 표정을 지었다. 우리한테도요?

"이 사람 지금 보니 무서운 사람이네. 나한테도 그랬단 말인가?"

원해가 놀라는 표정을 짓자

"자네가 괘씸죄 1호네. 우리 재단에서 주는 장학금으로 미국에 와서 공부하면서 그 재단 이사장 아들한테 전혀 주눅들지 않는 사람은 자네밖에 없었네. 그러고 보니 자넨 아마 전생에 인도 거지였나 보네."

향산 말을 듣고 모두 폭소를 터트렸다.

"전생에 뭐였나? 하고 궁금했는데 자네가 확실하게 가르쳐 줘서 고맙네."

인도 거지를 놓고 설왕설래할 때 원해가 회의를 주재했다.

"우리가 하는 일을 한번 점검해 보는 게 좋을 거 같아서 모이자고 했습니다. 요즈음은 모든 게 비대면으로 이루어지기 때문에 우리도 거기에 맞춰 일을 처리하고 있습니다. 그래서 '생명의 실상'에 대한 공부는 질문과 답변 위주의 방법을 그대로 유지해 가려 합니다. 방송을 보신 분들이 질문을 하면 학생들이 거기서 중요한 질문 33개를 취합해 제가 있는 연구원으로 보내고, 연구원에서 그 질문을 받아 답을 작성한 후 일차적으로 제가 점검을 합니다. 그런 후 작성한 답을 총장님과 상지 보살님께 보내 유튜브에 올리는 형식을 취하고 있습니다.

이 방법은 가장 합리적인 거 같아 앞으로도 계속 유지하려고 합니다. 그리고 지회 문젠데요. 이 지회도 우리가 지혜를 모아 탄탄하게 구축해 가야 할 거 같습니다. 우선 우리 학교에서도 지회를 하나 만들기로 결정을 보았습니다. 향산재단에서 하는 방법과 같은 방법인데요, 우리 학교에서는 일단 교직원보다 인성 장학금을 받고 졸업한 동창생 위주로 지회를 만들어 보려 합니다. 전에도 말씀드렸지만, 우리 학교 장학제도는 특이해 성적보다는 인성에 주안점을 두고 있습니다. 좋은 공동체의 일원으로서 인성을 갖추고 있는가, 공동체의 리더로서 자격을 갖추고 있는가에 초점을 맞추고 있지요. 그리고 그 비율도 7입니다. 성적은 3이고요. 그러다 보니 인성 장학금을 받고 졸업한 학생 수가 월등히 많습니다. 그리고 그들은 사회에 나가서도 활발하게 활동해 전 분야에 걸쳐 두각을 나타내고 있습니다. 인성 장학금을 받고 졸업한 학생 수는 천여 명이 넘고 그 관리는 제가 하고 있습니다. 1차로 간부들을 불러 의견을 수렴해 보니 모두 좋다고 찬성했습니다. 그래서 전 회원에게 공문을 보냈더니 모두 참여하겠다는 회신을 보내왔습니다. 우리도 향산재단처럼 1백만 원을 5년에 걸쳐 적립하는 것으로 하고 방법에선 융통성을 뒀습니다. 1년, 3년, 5년 이렇게요. 그리고 경우에 따라선 일시금으로 하거나 액수를 상향 조정해도 무방한 것으로 했습니다. 대상은 혜륜 씨가 제안한 대로 '북쪽에 있는 나와 생년월일이 같은 미지의 친구가 행복하기를 비는 마음'으로 정했습니다. 언젠가 남북통일이 돼서 북쪽에 마음대로 갈 수 있게 되면 그 친구한테 선물 보따리를 들고 가는 마음이라 할까요. 그렇게 정하니 정말 대상이 있는 거 같다고 하면서 다들 좋아하더군요. 그리고 지회 이름은 〈반갑다, 친구야!〉로 했습니다. 만나서 악수를 하는 장면을 떠올리면서요. 이것으로 1차 보고를 마칩니다."

원해가 설명을 끝내고 가볍게 합장했다.

"수고했다, 친구야!"

향산이 박수를 치며 얼굴 가득 미소를 지었다. 그러자 모두 같은 미소를 지으며 박수를 쳤다.

"그럼 저도 부모님 얘기를 해야겠네요. 부모님들도 〈여백〉을 상당히 구체화하고 계세요. 평소 뜻을 같이하는 동료 교사가 여덟 분이 계시는데 그분들 중에 결혼한 분이 세 분이고 독신이 다섯 분이래요. 그러니까 합쳐서 열한 분이 되고, 어머니와 가깝게 지내는 친구가 세 명, 그리고 제 부모님 두 분 이렇게 열여섯 분이 1차 회원이 되시는 거로 했대요. 회원들은 부모님이 평소 해 오신 방법대로 자연을 가까이하면서 마음의 여백을 만들어 가기로 하셨고요. 한 가지 예를 들면 저녁노을이 주는 장엄한 감동을 돈으로 환산하면 얼마나 될까요? 얼마의 돈을 들여 그 장엄한 광경을 만들어 낼 수 있을까요? 떠오르는 해, 들판 위의 흰 구름, 계곡을 흐르는 물, 강, 풀숲에서 피는 야생화, 봄의 꽃, 가을의 단풍, 바다, 섬… 돈으로 환산할 수 없는 자연을 아무 대가도 치르지 않고 향유할 수 있는데 많은 사람은 돈으로 환산할 수 있는 물건들을 자기 것으로 하기 위해 인생을 다 바친다는 거죠. 이 사실을 아는 사람들이 자연을 함께 향유하면서 마음속의 물욕을 밀어내고 그 자리를 여백으로 채워 가려 노력하는 거래요. 적게 소유하고 적게 쓰면서요. 혼자서는 실천하기 어렵지만 함께 모여 뜻을 공유하면 훨씬 더 힘을 받게 된다고 하셨어요. 여백 회원들은 〈따뜻한 우리, 참다운 대한민국〉의 취지에 다 찬동하시고 북한에 친구 만드는 일도 찬동하셨대요. 매달 여행지를 함께 정하고 한 달 동안 실천할 일도 함께 정하면서 자신만의 삶을 만들어 가려 하신대요. 남의 흉내를 내는 삶이 아닌 자신만의 삶을요. 그래서 자신이 할 수 있는 일을 최대한 발휘할 수 있도록 자신을 위한 노력에 집중한대요. 사진을 찍기도 하고, 그림을 그리기도 하고, 글을 쓰기도 하고, 깊은 사유를 하기도 하고, 노래를 부르기도 하고, 담소를 나누기도 하면서요. 자신이 가지고 있는 기능으로 서로 기쁨을 만들어 가는 거래요. 선우(善友)로 생명의 꽃을 함께 피워 가는 거죠."

혜륜이 자부심이 가득 찬 표정으로 부모님 얘기를 했다.

"가장 소박하면서도 가장 향기로운 꽃이 어떤 꽃이죠? 혜륜 씨 부모님 얘기를 듣고 있으니 그런 꽃 같다는 생각이 들어서요."

노 기자가 주위를 둘러봤다.

"꽃 이름은 모르지만 노 기자님의 생각은 알 거 같군요. 우리도 모두 같은 생각입니다."

향산이 말했다.

"그럼 됐습니다. 우리 지회가 지금 몇 개지요? 예경, 그네, 칭찬하기, 반갑다 친구야!, 여백, 5개군요. 〈그네〉를 보고 그런 지회를 만들고 싶다는 사람들은 아주 많습니다. 하지만 요즈음은 비대면 시절이니 코로나가 잠잠해질 때까지는 대면으로 지회를 만드는 일은 어려울 거 같습니다. 그래서 제가 손 교수님께 제안 드리는데 교수님이 한 달에 한 곡 정도 노래 부르는 장면을 유튜브에 올려 주시면 어떨까요?"

"좋습니다. 필요하시다면 언제든 노래를 부르겠습니다. 한 곡이 아니라 열 곡이라도요."

"고맙습니다. 그럼 제가 가까운 시일 안에 촬영 기회를 만들도록 하겠습니다. 그리고 한 가지 더 제안 드리고 싶은 건 지회 틀을 너무 견고하게 짜지 않았으면 하는 겁니다. 모두 생명의 꽃을 피울 수만 있다면 가장 느슨하게 규범을 만들어 놓고 다 들어오도록 하는 게 좋을 거 같아서요."

"노 기자 말에 나도 전적으로 찬성합니다. 생명의 꽃을 피울 수만 있다면 어떤 형태든 마다할 이유가 없지요."

원해가 마무리를 지어 주었다.

"그럼 오늘 회의는 잘 마무리되었다고 생각하고 저는 먼저 일어나겠습니다. 인터뷰 약속이 잡혀 있어서요."

노 기자가 자리에서 일어났다.

"벌써 시간이 이렇게 지났나? 나도 회의가 있어서 마무리해야겠는데."

원해가 시계를 보며 말했다.

"가까운 시일 안에 한 번 더 보세. 나도 바빠서 가 봐야겠군."

향산도 자리에서 일어났다.

모두가 인사를 하고 서둘러 밖으로 나가자 손 교수와 혜륜도 자리에서 일어났다. 두 사람은 방주인인 원해와 작별 인사를 하고 밖으로 나왔다. 네 시가 조금 지났는데 주위는 어두워질 준비를 하고 있었다. 두 사람은 교정을 함께 걸어 나와 교문 앞에 섰다.

"혜륜 씨한테 맛있는 초밥을 사 주고 싶은데 시간 괜찮아요?"

손 교수가 물었다. 묻고 있는 음성에 쓸쓸함이 배어 있었다. 혜륜은 그런 손 교수를 바라보다 밝은 표정을 지었다.

"네, 괜찮아요. 저도 초밥 먹고 싶었는데, 사 주세요."

"저 아래 맛있는 초밥집이 있는데 우리 걸어서 갑시다."

손 교수가 바바리 깃을 세우며 말했다. 혜륜이 자신을 배려하고 있다고 느끼면서.

초밥집에 온 두 사람은 창가에 자리를 잡고 앉았다. 종업원이 와서 찻잔과 손을 닦을 수 있는 냅킨을 놓고 물었다.

"교수님이 드시는 걸로 할까요?"

"그래 주십시오."

종업원이 돌아가자 혜륜이 물었다.

"교수님은 이 집에 자주 오시는가 봐요?"

"집에 들어가기 싫을 때는 여기 와서 저녁을 먹고 갑니다."

말을 하고 난 손 교수는 움찔하고 놀랐다. 속마음을 너무 쉽게 드러냈다고 생각하면서.

"많은 사람은 교수님 노래를 들으면 위로받는 느낌이 든다고 하는데요. 이해받는 느낌도 함께요. 교수님은 어디서 그런 위로와 이해를 받으세요?"

"글쎄요…."

손 교수는 생각하는 표정을 짓다가 조용히 말했다.

"예경 회원들인 거 같군요."

"교수님을 보고 있으면 심연에서 피어오르는 쓸쓸함이 느껴져요. 그 쓸쓸함이 사람들 가슴을 위로하는지도 모르죠."

"혜륜 씨는 쓸쓸함을 모르는 사람 같은데 어떻게 쓸쓸함을 이해하고 있죠?"

"교수님 말씀을 듣고 보니 그러네요. 저도 전생 어딘가에서 쓸쓸함을 경험했겠죠. 아주 짙게요."

"그랬겠죠. 그러지 않고서는 오늘의 혜륜 씨가 될 수 없었을 테니까요."

그때 종업원이 주문한 초밥을 테이블 위에 놓아 주었다. 정종 주전자도 함께. 주홍색의 연어, 하얀색의 광어, 자주색의 참치가 정갈하게 배합돼 있었다.

"도레미 같지 않습니까? 맛있게 드십시오."

초밥 색이 도레미 같다는 말이 재미있어 혜륜은 웃으며 젓가락을 들었다.

"이건 혼자 마시겠습니다."

손 교수가 자신의 잔에 정종을 따랐다.

"저도 한 잔만 주세요. 부모님은 술을 드실 때 저를 꼭 끼워 주세요. 소주 드실 때도요."

혜륜이 작은 정종 잔을 앞으로 내밀며 말했다.

"혜륜 씨가 왜 친구처럼 느껴지나 했더니 부모님이 혜륜 씨를 친구처럼 대하셔서 그렇군요.”

손 교수가 정종을 혜륜 잔에 따라 주었다.

“교수님은 80여 회 오페라 무대에 서셨다고 하는데 가장 인상 깊은 역은 어떤 것이었어요?”

“오페라 무대에 처음 섰을 때 맡았던 케루비노 역입니다. 케루비노는 모차르트의 오페라 〈피가로의 결혼〉 2막에 등장하는 존재감 없는 역할이지요. 케루비노라는 미소년은 백작 부인을 속으로 흠모하고 있는데 피가로의 결혼 2막에서 두 곡의 아리아를 부릅니다. 하나는 여자를 보면 감정을 주체할 수 없다고 하는 ‘나도 나를 모르겠네’라는 아리아와 다른 하나는 군대에 가기 전 연모하던 백작 부인에게 바치는 달콤하고 서정적인 아리아 ‘사랑의 괴로움 그대는 아는가’지요. 이 두 아리아는 아리에타 형식의 작은 아리아인데 남편의 사랑을 잃고 가슴 아파하는 백작 부인의 감정에 이입되면서 서정적인 달콤한 장면을 연출합니다. 작은 역할이긴 하지만 유럽 오페라 무대에 섰다는 자부심을 안겨 준 작품이었지요.”

손 교수가 정종 잔을 비우며 아련한 추억에 잠겼다.

“교수님은 왜 오페라 무대를 멀리하고 계세요?”

“가성(假聲) 같다는 생각이 들어서요. 오페라는 말에 가까운 레치타티보라는 아리아 중창 합창으로 구성돼 있습니다. 레치타티보는 대화하듯 말을 하는 건데 발음을 이태리 원어로 하려고 노력하지요. 하지만 아무리 노력한다 해도 원어처럼 되겠습니까? 나는 부질없는 노력을 하는 그 자체가 싫었습니다. 레치타티보뿐 아니라 아리아도 마찬가지고요. 그리고 오페라는 언어예술, 시각예술, 음악예술로 혼합된 장르이기 때문에 무대에 오른 배우나 오페라를 관람하러 온 청중은 알게 모르게 선민의식을 공유하고 있지요. 왕족이나 귀족들이 느끼는 그런 선민의식 같은 거요. 어느 순간부터 그런 의식이 멀미가 날 만큼 싫어지더군요. 그러면서 저 자신이 너무 긴 세월 동안 가성(假聲)으로 노래를 부르고 있다는 생각이 들었습니다. 화려한 옷을 입고 파티에 나가 있는 거 같은 기분, 그런 모습은 진실한 자신의 모습과는 거리가 있지요. 세계에서 가장 유명한 오페라는 모차르트의 피가로의 결혼, 로시니의 세비야의 이발사, 베버의 마탄의 사수, 베르디의 오셀로, 바그너의 니벨룽겐의 반지 등입니다. 궁극적으로 그 오페라들은 내 것이 아니지요. 내 것이 될 수도 없고 되게 할 필요도 없고요. 그런 감정이 복합돼서 고개를 돌리게 된 거 같습니다."

손 교수는 친구에게 마음을 털어놓듯 진심을 다해 말했다. 혜륜은 그런 손 교수를 감사함을 가득 담은 눈으로 쳐다봤다.

"딱딱한 얘긴 그만하고 우리 앞에 놓여 있는 도레미를 즐깁시다."

손 교수가 된장국을 한 모금 마시며 명랑한 표정을 지었다. 두 사람은 가벼운 대화를 나누며 도레미를 즐겼다.

"소설가로서 작품 폭을 넓히려면 다양한 삶을 사는 인간 군상을 이해해야 하지 않습니까? 성악가도 마찬가지긴 하지만요."

"아무래도 그래야겠지요."

"그런 의미에서 혜륜 씨가 경험하지 못한 삶을 사는 사람들 얘기를 들려 드리겠습니다. 혜륜 씨 부모님하고는 완전히 다른 삶을 사는 사람들 얘기를요."

"어떤 얘긴지 듣고 싶어요."

"옛날에 한 여인이 살고 있었답니다. 그 여인은 세 살 먹은 딸을 데리고 혼자 됐답니다. 남편과 사별한 거지요. 설상가상으로 그 여인은 병까지 얻어 1년 동안 일을 전혀 하지 못하고 앓고 있었는데 그러다 보니 자연히 끼니조차 해결할 수 없게 됐답니다. 어린 딸은 배가 고프다고 우는데 먹일 것이 없으니 여인은 할 수 없이 주변에 있는 집을 돌며 먹을 것을 얻어다 아이를 먹였답니다. 여인은 그 과정을 통해 굶주림이라는 게 얼마나 가혹한 것인가를 알게 됐지요. 그 후 여인은 건강을 회복해 일하게 됐고 딸을 전문대학에 보내 졸업을 시켰답니다. 딸은 대학병원에서 환자를 돌보는 일을 했는데, 거기서 자신이 돌본 남자와 결혼을 하게 됐답니다. 딸이 떠나자 여인은 극도의 불안감을 느끼게 됐답니다. 다시 혼자가 됐다는 외로움과 함께 보호자가 떠난 것에 대한 공포감이었지요. 그래서 돈에 병적으로 집착하게 됐답니다. 돈이 자신을 지켜준다고 믿은 거죠. 여인은 딸만 보면 돈을 요구했고 돈을 요구할 거리를 끝없이 만들어 갔답니다. 다행히 딸의 남편은 회사에서 받는 월급을 몽땅 아내한테 맡겼기에 딸은 남편의 월급에서 떼어 어머니의 요구를 들어주며 살아갔답니다. 그렇게 살아가던 모녀는 새로운 불안감에 괴로워했답니다. 결혼한 후 꽤 긴 세월이 흘렀는데도 아이가 없어서입니다. 어머니는 수입의 원천인 사위가 딸에게서 멀어질까 봐 불안했고, 딸은 사랑하는 남편이 자신에게서 멀어질까 봐 불안해진 거지요. 이렇게 아이라는 공동 목표가 세워지자 모녀는 아이를 갖게 하는 온갖 방법을 쓰면서 남자를 괴롭혔답니다. 하지만 그들 사이에는 아이가 생기지 않았답니다."

손 교수는 여기서 말을 끊고 잠시 허공을 쳐다봤다.

"왜요?"

혜륜이 물었다.

"글쎄요. 왜일까요?"

손 교수는 얘기가 잘 풀리지 않는지 얼버무리며 말끝을 흐렸다.

"…?"

혜륜은 그런 손 교수를 고개를 갸웃하며 쳐다봤다.

"혜륜 씨 부모님과 다른 사람도 있다는 걸 얘기하려고 했는데 역시 남의 얘기라 하기가 힘들군요. 그분들 얘기는 여기서 끝냅시다."

손 교수가 매듭을 지었다. 그러면서 손 교수는 속으로 생각했다. 혜륜 씨가 나이가 들었다면 부부관계를 얘기할 수 있을까?

"지금 들은 얘기만으로도 교수님이 저에게 들려주시려는 얘기의 핵심은 이해됐어요. 감사합니다."

혜륜이 더 확실하게 얘기의 매듭을 지었다. 손 교수는 그런 혜륜을 말없이 바라봤다. 총명함은 지혜와 통한다고 생각하면서.

혜륜과 헤어진 손 교수는 자신의 집 근처에 있는 공원 벤치에 혼자 앉아 있었다. 주위는 이미 어두워져 있었고 한겨울 밤이라 공원엔 썰렁한 바람 외엔 아무것도 없었다. 그런 손 교수 머릿속에 구토하던 아내 얼굴이 떠올랐다. 임신한 지 3개월이 됐다네. 장모 목소리도 들려왔다. 손 교수는 괴로운 얼굴로 눈을 감았다. 3개월 전 새벽에 있었던 일이 스크린 화면처럼 펼쳐졌다. 모임에서 술을 많이 마시고 귀가한 그는 자신의 방에서 잠이 들었다. 결혼 초부터 각방을 써 왔기 때문에 아내도 술 취한 남편이 건넛방으로 들어가는 걸 당연하게 여겼다. 그런데 새벽에 눈을 떠 보니 아내가 옆에 누워 있었다. 깜짝 놀란 그가 급히 일어나 보니 자신의 바지가 벗겨져 있었다. 팬티까지도. 손 교수는 그때의 광경을 떠올리며 괴롭게 중얼거렸다. 알리바이를 만들기 위한 연극이었구나. 임신 3개월이라는 알리바이를 만들기 위한. 손 교수는 씁쓸하게 웃었다. 내가 오래전에 정관수술을 했다는 사실을 알면 그들 모녀는 기절할까? 그럴 거 같기도 하고 그렇지 않을 거 같기도 했다. 그럴 거 같지 않다고 생각하자 그들 모녀가 무서워졌다. 아니, 불쌍해졌다. 아! 어떻게 이 인연의 매듭을 풀어야 하나? 절망 속에 눈을 감고 있던 손 교수는 구원의 빛을 발견한 듯 얼른 눈을 떴다.

'교수님, 고독의 강을 잘 건너세요. 다치지 마시고요.' 손 교수 얼굴이 밝아졌다. 상지 보살님을 만나자. 상지 보살님은 내 고독을 알고 계신다. 혜륜에게는 못한 부부관계도 상지 보살님에게는 말할 수 있을지 모른다. 벤치에서 일어난 손 교수는 자신의 아파트 쪽을 물끄러미 바라보다 무겁게 걸음을 옮겼다.

아침 햇살이 예경원을 환하게 비추고 있다. 상지 보살 송이 수희 상진이가 둘러앉아 아침 식사를 하고 있다. 아침 햇살만큼 밝고 평화로운 모습이다.

"우리 잡채 한 번 더 해 먹을까?"

할머니가 물었다.

"잡채보다 탕수육요."

손자가 대답했다.

"난 가자미구이가 더 먹고 싶은데."

손녀가 대답했다.

"그럼 어떻게 할까?"

엄마가 물었다.

"어떻게 하긴. 오늘은 탕수육하고 내일은 가자미구이 하면 되지."

할머니가 대답했다.

"좋아요. 그러면 돼요."

두 아이가 찬성했다.

"탕수육 재료는 있니?"

할머니가 물었다.

"네, 다 있어요."

엄마가 대답했다.

"그럼 아침 먹고 바로 만들어라. 너희들이 만든 탕수육을 맛있게 먹을 사람이 올 거 같은데."

"네, 맛있게 만들게요."

손녀와 손자가 합창하듯 답했다.

아침 식사를 끝낸 송이는 설거지하고, 수희는 냉장고에서 탕수육 만들 재료를 꺼내 손질하고, 상진이는 청소를 한다. 청소기를 미는 상진이가 콧노래를 하자 버섯을 다듬던 수희가 슬그머니 고개를 돌려 쳐다본다. 시들시들 마르던 화초가 물을 흠뻑 먹고 잎과 줄기에 생기를 띠고 있는 것 같은 모습, 강릉에 온 지 열흘 정도 지났는데 상진이는 또래의 당당한 소년 모습을 하고 있었다. 수희는 그런 상진이 모습을 보면서 상지 보살이 가지고 있는 에너지에 감복했다. 자신이 보기에 상지 보살은 평범한 할머니 모습으로 아이들을 대했다. 알아듣기 어려운 말을 하는 것도 아니고 현학적인 훈계를 하는 것도 아니었다. 그냥 일상적인 대화로 아이들과 교류하고 있었다. 아까만 해도 상진이는 탕수육을 먹고 싶다 하고, 송이는 가자미구이를 먹고 싶다 했다. 그때 자신은 누구 말을 먼저 들어줘야 하나를 놓고 잠시 머리가 복잡했다. 그런데 상지 보살은 먼저 말한 상진이 말을 먼저 들어주는 것으로 쉽게 결론을 내렸다. 상지 보살이 내린 결론을 아이들은 다 만족해

했다. 거기서 사랑의 차별을 느끼지 않았다. 수희는 상지 보살을 보면서 예경(禮敬)의 마음이 나무처럼 깊게 뿌리 내려져 있음을 알았다. 지극한 공경심으로 상대방을 대하면 두 사람 사이엔 소통의 통로가 만들어진다고 했다. 그 소통의 통로를 통해 사랑, 이해, 포용, 위로, 관용 등의 감정이 교류되면서 서로의 생명을 살려 낸다. 뜰에 있는 약초와도 소통의 통로가 만들어지고 있다 하는데 하물며 사람이랴! 자신이 서울 생활을 접고 상지 보살 옆에 살고 싶어 강릉으로 내려온 것도 바로 그런 감정 때문이었다. 그렇다면 어떻게 그 경지가 가능할까? 수희는 화두를 풀듯 예경(禮敬)이라는 두 글자를 붙들고 씨름했다. 그렇게 몇 년이 지났을 때 절에 계신 주지 스님이 법화경 한 질을 주면서 사경을 하라고 권했다. 법화경에 대한 설명과 사경을 통해 얻게 되는 공덕을 설명하고 나서다. 주지 스님이 준 법화경은 한글로 번역돼 있어 수희는 한글로 법화경 사경을 했다. 그러던 수희는 법화경 제20품 상불경보살품을 사경하면서 그 답을 얻었다. 상불경보살은 수행자로 살던 전생의 석가모니부처님의 모습이다. 이 상불경보살은 만나는 사람마다 '나는 당신을 업신여기지 않고 존경합니다. 왜냐하면 당신은 보살도를 행해서 부처님이 될 것이기 때문입니다.' 라며 경배를 드렸다. 여기서 업신여긴다는 말은 해석이 잘못된 것인지는 모르지만 남한테 무시당하거나 멸시당할 처지에 놓여 있는 사람을 말하는 것인 듯했다. 상불경보살은 만나는 사람마다 지극한 공경의 예를 갖추고 이 말을 하고 다니다가 무슨 미친 소리를 하느냐고 몽둥이로 두들겨 맞기까지 했다. 하지만 상불경보살은 자신의 소신을 굽히지 않고 계속 사람을 만나고 다니면서 상대가 누구든 공경의 예를 갖췄다. 법화경 상불경보살품에는 이 보살이 경전 공부를 하지 않고 오로지 모든 생명에게 공경의 예배만을 올렸다고 돼 있다. 그러다가 보살이 임종할 때 허공으로부터 법화의 천만억 게송이 울려 퍼져 안(眼) 이(耳) 비(鼻) 설(舌) 신(身) 의(意)의 육근이 청정해졌다 한다. 수희는 상불경보살품을 사경하면서 예경이 무엇을 의미하는지는 어렴풋이 알게 되었다. 하지만 그 예경을 내 안에서 어떻게 자유롭게 쓸 수 있는지는 손에 잡히지 않았다. 그러다가 수희는 어느 순간 그것이 견성에 의해 가능하다는 것을 알게 되었다. 견성(見性)은 자신의 본래 성품을 보는 것이다. 자신의 본래 성품은 불성이고 그 불성은 모든 생명 안에 고루 내재한다는 것이다. 그 사실을 막연히 아는 것이 아니라 눈으로 보는 것처럼 온몸으로 체득하는 것을 견성이라한다. 견성을 한 자리가 도를 증득한 자리고 그 자리에 오른 사람을 도인 혹은 성인이라 칭한다. 진정한 예경심은 그 자리를 거쳤을 때 가능해진다. 상대의 생명이, 인간뿐 아니라 일체의 생명이 불성으로 이루어졌음을 알았는데 어떻게 예경

올리지 않을 수 있겠는가?

수희가 오징어 연근 마 죽순에 튀김옷을 입혀 아이들에게 주면 송이와 상진이는 끓는 기름에 이들을 튀겨 냈다. 속도가 늦다고 서로 핀잔을 주기도 하지만 핀잔을 받는 얼굴도 웃음을 가득 담고 있다. 행복하기 때문이다. 수희는 빨강 노랑 파랑 파프리카와 적채 양파 송이 등을 볶아 놓고 부지런히 소스를 만들었다. 두 아이의 재잘거림을 들으면서. 그때 전화벨이 울렸다.

"예경다원입니다."

"수희 씨 안녕하십니까? 저 손 교숩니다."

"어머, 교수님이시군요. 안녕하세요?"

"저는 잘 있습니다. 지금 강릉에 와 있습니다. 예경원에 가려고요. 가도 괜찮겠습니까?"

"가능한 한 빨리 오세요. 교수님 오시면 드리려고 지금 탕수육을 하고 있거든요."

"하하하. 가능한 한 빨리 가겠습니다."

전화가 끊겼다. 탕수육을 맛있게 먹을 사람이 바로 손 교수였구나! 수희는 상지 보살 말을 떠올리며 미소 지었다. 생각지도 않았던 손 교수가 온다니 수희도 기뻤다.

10

생명의 실상, 법석을 차리다

3 발광지, 4 염혜지

3. 발광지

해인스님이 결가부좌를 하고 법석에 앉아 계신다. 스님 주위가 고요하다. 고요함이 향기롭다. 반안(半眼)을 뜨고 정좌하고 계신 스님 모습이 아름다워 숨이 막힌다. 대중은 그런 스님을 경건한 마음으로 바라본다. 잠시 후 선정에서 깨어나신 스님도 대중을 둘러본다. 상지 보살, 박 총장, 향산, 노 기자, 송혜륜, 강원해, 손 교수, 수희 모습이 차례로 스님 시야에 들어온다. 해인스님은 미소를 지으며 한 사람 한 사람을 바라보다가 조용히 입을 여신다.

오늘은 지난번에 이어 10지품 3번째 법문을 하겠습니다. 십선(十善)의 실천을 체화한 보살은 내면에 잠재해 있던 탁한 요소들을 털어 내고 보살로서 청정함을 갖추게 되었습니다. 이 자리가 지난번 법회 때 설명한 10지품 중 두 번째 자리인 이구지(離垢地)입니다. 이구지 수행을 마친 보살은 다시 앞을 향해 나아갑니다. 그때 보살은 자신 안의 청정함을 더욱 견고히 함과 동시에 부동심에 이르고자 노력합니다. 청정심은 모든 애욕을 떠난 마음을 말하며 부동심은 어떤 경우에도 동요하지 않는 마음을 말합니다. 이렇게 청정심과 부동심을 견지한 보살은 마침내 세 번째 자리인 발광지(發光地)에 이르게 됩니다. 이로써 보살은 세상을 있는 그대로 관찰할 수 있는 힘을 얻게 됩니다. 이 말은 내면이 청정하지 못하면 세상을 제대로 관찰할 수 없다는 말과 같겠지요. 세상을 관찰할 수 있는 자격을 얻은 보살은 이 세계가 무상(無常)이며, 고(苦)며, 부정(不淨)하다는 것을 목격하게 됩니다. 그리고 사람들 상호 간에는 진실한 벗도 없고, 구원해 주는 사람도 없음을 알게 됩니다. 모든 사람은 근심 슬픔 고뇌에 싸여 있고, 탐심 진심 치심에 절어 신음하고 있음을 보게 된 것이지요. 이런 실상을 관찰한 보살은 '반드시 세상 사람들을 구해서 열반에 안주하도록 돕겠다.'라는 보살로서의 서원을 다시 한 번 세우게 됩니다. 그런 서원을 세운 보살은 방법을 찾아 고심하다 마침내 자기 자신이 지혜에 안주하지 않으면 안 된다는 사실을 깨닫게 되지요. 이 사실을 화엄경 10지품 발광지에선 이렇게 설명하고 있습니다.

세상 사람들을 열반에 들도록 돕기 위해서는 나 자신이 해탈의 지혜에 안주하는 도리밖에 없다. 해탈의 지혜에 안주하기 위해서는 모든 존재를 있는 그대로 깨닫는 도리밖에 없다. 모든 존재를 있는 그대로 깨닫기 위해서는 선정의 지혜를 통해 통각(統覺)을 얻는 수밖에 없다. 통각의 지혜를 얻기 위해서는 불법을 잘 듣는 도리밖에 없다.

세상 사람들을 열반에 들도록 돕기 위한 방법을 찾다가 보살은 불법을 잘 들어야 함을 깨닫게 됩니다. 여기서 불법을 잘 듣는다는 것은 온몸으로 듣는다는 것을 뜻합니다. 골수에 사무치게 받아들인다는 뜻이지요. 보살은 더욱더 불법 듣는 일에 열중하여 낮이나 밤이나 게으름 없이 불법을 받아들이는 일에 전념합니다. 화엄경 10지품 중 발광지에서는 그때의 상황을 이렇게 설명합니다.

보살은 아직 들은 바 없는 부처님의 말씀을 들으면 기뻐하지만 비록 삼천대천세계에 가득 찬 보배를 얻어도 좋아하지 않는다. 또 부처님에 의해 설해진 한 게송이라도 들으면 기뻐하지만 비록 왕위를 얻는다 해도 기뻐하지 않는다. 어떤 사람이 보살을 향해 '만약 당신이 타오르는 불 속에 몸을 던져 그 고통을 받겠다면 나는 부처님이 설하신 보살행의 말씀을 들려주겠다.'라고 말하면 보살은 마음속으로 '나는 부처님이 보살행에 대해 설하신 한마디 말씀을 듣기 위해서라면 비록 삼천대천세계에 가득 찬 타오르는 불에라도 뛰어들어 그 고통을 참아내겠다.'라고 생각한다.

이렇게 진리를 얻는 일을 기뻐하고, 진리에 의거하고, 진리를 따르고, 진리에 열중하고, 진리를 지키고, 진리를 실천하는 수행을 이어 가다 보면 마침내 몸과 마음이 여일해 선정에 이르게 됩니다. 신심일여의 선정에 이르면 눈에 안 보이는 진리, 형체 없는 부처님, 소리 없는 불법을 온몸으로 증득하게 되지요. 경전에서는 이 선정을 네 단계로 설명하고 있습니다. 제1선정에서는 온갖 번뇌를 떠나고는 있으나 사고력은 아직도 남아 있으며 선정에서 오는 기쁨과 즐거움으로 충만해 있고, 제2선정에서는 사고력마저 떨어져 나가고 기쁨과 즐거움만이 오롯이 남아 있으며, 제3선정에서는 기쁨은 떨어져 나가고 즐거움만이 남아 있고, 제4선정에서는 즐거움마저 사라져 버리는데 이 선정에서는 괴로움이라든가 즐거움이라든가 기쁨이라든가 근심이라든가 하는 감정이 완전히 소멸되고 오로지 무집착에 의해 청정함만이 남아 있습니다. 이 4단계의 선정을 사선정이라 하는데 사선정은 몸의 속박에서 벗어나지 못했다 하여 색계선정(色界禪定)이라 합니다. 색계선정을 넘어선 4선정을 무색계선정이라 하는데 형상의 관념을 초월해 마치 허공처럼 가없는 경지인 공무변처(空無邊處), 이 공무변처에서 더 심화되면 오로지 식(識)의 작용만 남는 식무변처(識無邊處), 이 식무변처에서 더 심화되면 아무것도 있지 않은 무소유처(無所有處), 무소유처에서 더 심화되면 생기는 것도 아니고 생기지 않는 것도 아닌 비상비비상(非想非非想處)에 이르게 됩니다. 이렇게 색계의 4선정과 무색계의 4선정을 합쳐 8선정이라 합니다.

이 8단계의 선정이 반드시 순차적으로 오는 것은 아닙니다. 단번에 4선정에 오를 수도 있고 마지막 단계인 비상비비상처에 오를 수도 있습니다. 수행자의 수행력에 따라 다 다르게 받아들여집니다. 하지만 수행자라면 이 8단계의 수행 과정을 깊이 통찰하고 있어야 합니다. 그렇지 않으면 제1선정에서 마치 공부를 마친 듯한 자만심에 빠질 수도 있고 자신이 증득한 경지가 어딘지를 몰라 방향을 잃고 헤맬 수도 있기 때문입니다. 제1지인 환희지를 거치고, 제2지인 이구지를 거쳐, 제3지인 발광지에 이르러 통각(統覺)의 경험을 하게 된 보살은 인격의 주체자로서 스스로 빛을 발하게 됩니다. 이 빛에 의해 모든 존재를 있는 그대로 관찰하게 되지요. 즉 중생계, 자연계, 진리의 세계, 의식의 세계, 욕망의 세계, 형상 있는 세계, 형상 없는 세계 등입니다. 해탈의 지혜에 안주하게 된 것이지요. 해탈의 지혜에 안주하게 되었다 함은 내면에서 지혜의 광명이 생겨남을 말하는 것입니다. 그래서 제3지 보살을 스스로 지혜의 빛을 발할 수 있다 하여 발광지(發光地)라 합니다. 이 발광지에서도 무수한 부처님이 나타나 찬탄하고 격려하는 것으로 되어 있습니다. 보살의 수행을 인가해 주시는 것이지요.

이것으로 미흡하나마 화엄경 10지품 중 제3지인 발광지 설명을 마치도록 하겠습니다. 미흡한 부분은 함께 모여 토론하면서 보완하시기를 바랍니다. 그리고 앞서 공지한 대로 오늘은 화엄경 10지품 중 네 번째인 염혜지(焰慧地)까지 마치도록 하겠습니다. 차를 마시며 휴식을 취하신 후 다시 모이시기 바랍니다.

법문을 마친 해인스님은 좌중을 향해 미소 지으며 합장했다. 선우에 대한 예경의 마음을 가득 담아서다. 좌중은 깊은 감동 속에서 스님을 우러러보며 합장배례했다. 스승에 대한 지극한 예경의 마음을 담아서다. 아름답고 향기로운 법석, 부처님과 교류하고 있는 듯한 충만감이 장내를 가득 채웠다.

노 기자는 조용히 일어나 방송 장비를 정돈했다.

4. 염혜지

해인스님이 결가부좌를 하고 법석에 앉아 계신다. 스님 주위가 고요하다. 고요함이 향기롭다. 반안(半眼)을 뜨고 정좌하고 계신 스님 모습이 아름다워 숨이 막힌다. 대중은 그런 스님을 경건한 마음으로 바라본다. 잠시 후 선정에서 깨어나신 스님은 대중을 둘러본다. 상지 보살, 박 총장, 향산, 노 기자, 송혜륜, 강원해, 손 교수, 수희 모습이 차례로 스님 시야에 들어온다. 해인스님은 미소를 지으며 한 사람 한 사람을 바라보다가 조용히 입을 여신다.

화엄경 10지품 중 네 번째 단계인 염혜지에 대한 법문을 하겠습니다. 중생의 집에서 나와 부처의 집으로 거처를 옮긴 보살은 내면의 완성을 향해 꾸준히 노력해 왔습니다. 우리가 한 달에 한 번씩 만나 한 품 한 품을 공부하니 제1지에서 제2지로, 제2지에서 제3지로, 제3지에서 제4지로 넘어가는 일이 쉬운 일처럼 느껴질지 모르지만 실은 한 단계에서 다음 한 단계로 옮기는 일은 수없는 생을 반복적으로 공부하면서 이루어 내는 결과물입니다. 이것은 부처의 집에 들어와서만 그런 것이 아니고 중생의 집에 머물러 있을 때도 그랬습니다. 중생의 단계에서 보살의 단계로 옮겼다고 하니 중생의 단계에서 보살의 단계로 옮기는 일이 쉬운 일처럼 느껴질지 모르지만 실은 수없는 생을 반복해서 수행함으로써 가능한 결과물이었습니다. 그러므로 그 안에 흐른 세월은 수백 년일 수도 있고 수천 년일 수도 있습니다. 수백 년 수천 년 수행자로 살았다 해서 다 중생의 집에서 부처의 집으로 옮겨 앉는 것도 아닙니다. 꼭 도를 이루고야 말겠다는 간절함과 치열함이 없으면 수백 년 수천 년이 아니라 그보다 더 많은 세월이 흘러도 목표한 공부를 이루기는 어렵습니다. 그런데 하물며 그런 간절한 뜻도 세우지 않았다면 말해 무얼 하겠습니까?

제3지인 발광지에서 청정심과 부동심을 견지한 보살은 마침내 제4지인 염혜지에 이르렀습니다. 발광지가 지혜의 빛이 내면에 자리 잡은 경지라면 염혜지는 그 지혜의 빛이 불꽃처럼 타오르는 경지라고 할 수 있습니다. 깜깜한 밤에 횃불을 든 사람이 있다고 한다면 그 횃불은 주위를 밝힐 뿐 아니라 길을 잃고 밤길을 헤매는 사람들을 불러 모으는 구심점이 되겠지요. 염혜지보살은 현실 속에서 보살행을 할 수 있는 자격을 갖추었다고 할 수 있습니다. 염혜지보살은 그런 자신의 능력을 충분히 발휘해 윤회와 열반을 관합니다. 대승보살도를 나타내는 말 중에 '열반에도 주하지 않고 생사에도 주하지 않는다.'라는 말이 있습니다. 이 말은 현실 속에서 활동하면서도 마음은 조금도 미혹하지 않아 열반의 고요함을 잃지 않는다는 뜻입니다. 염혜지에 오른 보살은 현실 속에서 보살행을 실천해 가기 위한 힘을 기르기 위해 다시 한 번 철저한 수행을 하게 됩니다. 그것이 바로 신(信) 근(勤) 염(念) 정(定) 혜(慧)의 수행입니다. 신(信)은 말 그대로 믿음입니다. 불법승 삼보에 대한 굳건한 믿음. 이 믿음은 불법에 처음 귀의했을 때부터 견지한 힘이지만 마지막 성불에 이를 때까지 견지해 가야 할 힘입니다. 다음은 근(勤)인데 근은 노력, 정진을 멈추지 않는 부지런함입니다. 이 근이야말로 불법을 성취해 가는 정도입니다. 근면함을 떠나서는 불법을 성취할 수 없습니다. 염(念)은 생각을 말합니다. 마음에 깊이 생각하여 한시도 잊지 않는 것을 말합니다. 그럼 무엇을 생각하여 잊지 않는 것이냐? 그것은 부처님입니다. 여기서는 화엄경의 교주 비로자나부처님을 말합니다. 진리의 근원이고 진리의 당체인 비로자나부처님을 염염상속, 한순간도 끊이지 않고 생각함으로써 마침내 무한의 과거로부터 켜켜이 쌓여 있던 숙업(宿業)이 완전히 씻겨 내린 것입니다. 숙업이 완전히 씻겨 내렸다면 그 자리가 얼마나 밝고 청정하겠습니까? 바로 선의 자리고 지혜가 드러나는 자리가 되겠지요. 이것이 신, 근, 염, 정, 혜 수행입니다. 염혜지에 오른 보살은 지혜가 불꽃처럼 타오른다고 하는데 지혜가 불꽃처럼 타오르면 주위는 물론 수백 킬로 수천 킬로 떨어진 사람에게도 그 빛이 비치겠지요. 시간과 공간을 초월해 위대한 성현을 공경하고 가르침을 배우는 것은 바로 그 지혜의 빛 때문입니다. 염혜지는 수험생이 그동안 해 왔던 공부를 다시 점검해 시험장에 나가는 것처럼 현실 속에서 보살행을 실천해 가기 위해 그동안 해 왔던 공부를 다시 점검하는 과정과 같습니다.

제4지인 염혜지에 오른 보살 앞에도 무수한 부처님이 나타나 보살의 공부를 찬탄하고 격려합니다. 보살의 수행을 인가해 주신 거지요. 이것으로 미흡하나마 화엄경 십지품의 4번째 단계인 염혜지(焰慧地) 법문을 마치겠습니다. 미흡한 점은 장소를 옮겨 토론하면서 채워 가시기 바랍니다.

법문을 마친 해인스님은 좌중을 향해 미소 지으며 합장했다. 선우에 대한 예경의 마음을 가득 담아서다. 좌중은 깊은 감동 속에서 스님을 우러러보며 합장배례했다. 스님에 대한 지극한 예경의 마음을 담아서다. 아름답고 향기로운 법석, 부처님과 교류하고 있는 것 같은 충만감이 장내를 가득 채웠다.

노 기자는 조용히 자리에서 일어나 방송 장비를 정돈했다.

상지 보살 집 거실엔 교자상이 길게 놓여 있다. 그네 회원들이 터트리는 웃음소리가 음식 냄새와 어우러져 거실을 아늑한 공간으로 만들고 있다. 그때 밖에서 두런거리는 사람 소리와 함께 발소리가 들렸다.

"오시는가 봐요."

한 사람이 낮은 소리로 말하자 모두 밝은 표정으로 현관을 응시했다. 잠시 후 현관문이 열리고 상지 보살을 위시해 예경 회원들이 들어왔다. 그네 회원들은 앞서거니 뒤서거니 하며 현관으로 나가 손님들을 맞았다. 그 속엔 송이와 상진이 모습도 보였다. 송이와 상진이는 주인이 손님을 맞이하는 표정을 지으며 그네 회원들 앞에 서 있다.

"어서 오십시오. 다시 뵙게 돼서 반갑습니다."

김하림 씨가 손님을 맞았다.

"반갑습니다. 그동안 평안하셨지요?"

박 총장이 얼굴 가득 미소 지으며 답례했다. 예경 회원들과 그네 회원들은 서로 반갑게 인사를 나누며 자연스럽게 자리에 앉았다.

"식사를 하기 전에 제가 손자와 손녀부터 소개하겠습니다. 그네 회원들에게는 이미 소개했지만 예경 회원들에게는 아직 소개를 못 드려서요. 이 아이가 제 손자 상진입니다. 그리고 이 아이는 제 손녀 송입니다. 저는 이 아이들의 할머니고 수희는 이 아이들의 엄맙니다. 여기는 고향집이고 손자와 손녀가 겨울방학을 맞아 할머니 집에 놀러 와 지금 머물고 있습니다."

상지 보살이 양옆에 앉은 송이와 상진이 어깨에 팔을 두르며 소개를 했다. 상지 보살의 말을 듣는 순간 예경 회원들은 두 아이가 보육원에서 왔음을 알았다.

"이렇게 잘생긴 손자와 손녀를 어디다 숨겨 놨다가 이제야 보여 주십니까?"

총장이 웃으며 두 아이를 바라보자 두 아이가 자리에서 일어나 인사했다. 그러자 모두 밝은 표정으로 박수를 치며 환영했다. 신고식이 자연스럽게 이루어졌다.

"그네 회원들한테는 이미 얘기를 했지만 예경 회원들한테는 아직 못 해서 지금 이 자리에서 제 생각을 말씀드리겠습니다. 저는 앞으로 이 예경원이 많은 사람의 고향이 되게 하고 싶습니다. 고향이 없는 사람들에게 고향을 만들어 주고 싶은 게 제 꿈입니다. 그네 회원들과 예경 회원들이 힘을 합쳐 이 예경원이 많은 사람의 고향이 되게 해 주십시오."

상지 보살이 진심을 담아 부탁했다.

“좋으신 생각입니다. 저희도 최선을 다해 동참하겠습니다.”

총장의 말이 끝나자 모두 동감하는 표정을 지으며 박수를 쳤다. 그때 현관문이 열리더니 장 노인이 낯선 남자를 데리고 들어왔다. 모두 어리둥절해서 쳐다보자 장 노인이 미안해하는 표정을 지었다.

“들어오세요. 괜찮습니다.”

상지 보살이 큰 소리로 불렀다.

“제가 모시고 오겠습니다.”

수희가 얼른 자리에서 일어나 장 노인과 같이 온 사람을 데리고 들어왔다.

“여기 편하게 앉으세요. 잘 오셨어요.”

상지 보살이 미소를 지으며 앉을 자리를 만들어 주었다.

“이 사람 일을 상의드리려고 왔는데 식사 전이신 거 같군요.”

장 노인이 같이 온 사람을 돌아보며 말했다.

“긴 얘기가 아니라면 말씀하세요.”

“이 사람은 묘향산 아래 있는 향산군에서 왔는데 거기서 약초꾼으로 살았답니다. 대대로 약초를 캐서 살았기 때문에 동네에선 약국집 아들로 불렸는데 남한에 온 지는 8년이 됐다 합니다. 아들은 여기서 한의대를 다닌다고 하는데 저하고는 4년 전부터 인연을 맺고 같이 일을 했습니다. 제가 오늘 이 사람을 데리고 온 건 예경원 뒤에 있는 빈집에 이 사람을 살게 하고 싶어서입니다. 거기서 살게 되면 저하고 같이 예경원 약초도 가꿀 수 있고요. 약초에 대해선 저보다 더 많이 알고 있어 저도 이 사람 도움이 필요합니다."

장 노인 설명을 듣고 모두 놀란 표정을 지었다. 그중에서도 가장 놀란 표정을 지은 사람은 향산이었다.

"안 될 건 없지요. 비어 있는 집이니까요. 자세한 얘기는 따로 하기로 하고 식사부터 합시다. 모두 시장하실 텐데요."

상지 보살이 식사를 하자고 하자 그네 회원들이 음식을 날랐다. 긴 교자상 위엔 음식이 가득 차려졌고 사람들은 담소를 나누며 식사를 했다. 예경 회원들과 그네 회원들은 오랜 지기들처럼 마음을 나누며 식사를 했다. 식사가 끝나고 그릇들을 치울 때 향산이 물었다.

"궁금한 걸 참느라고 애를 먹었습니다. 선생님은 향산군에서 오셨다고 하는데 향산군은 어디에 있는 군입니까?"

"평안북도에 있습니다. 묘향산이 있는 향산군은 평안북도 동부에 위치하고 있는데 1952년 12월 행정구역이 개편될 때 녕변군의 태평면, 북신현면의 전체 리와 남송면 중 11개 리를 떼어 와 만든 군입니다. 현재 향산읍과 20개 리로 구성돼 있습니다."

"향산이 군 소재지인가 보군요."

"그렇습니다."

"그럼 선생님은 묘향산에도 가 보셨겠군요."

"가 보다마다요. 거기서 살았습니다. 묘향산은 금강산과 지리산을 합쳐 놓은 것처럼 기기묘묘한 봉우리와 웅장함을 갖추고 있는 명산 중의 명산입니다. 산 여기저기는 폭포도 많아서 룡연폭포 산주폭포 천신폭포 금강폭포 대하폭포 등 수 없이 있지요. 산주폭포는 상원동 입구에서 상원암 쪽으로 약 십 리쯤 올라가 있는데 층암절벽을 타고 폭포가 수직으로 떨어지면서 물방울을 뿌리는 게 마치 보석 같다 해서 붙여진 이름입니다."

"상원암이라 하셨는데 상원암은 절의 암자를 말하는 겁니까?"

"그렇습니다. 상원암은 저희 큰할아버지가 중으로 있던 절입니다."

"선생님 조부님이 스님이셨습니까?"

"제 조부의 형님이 스님이셨습니다. 할아버지 말씀에 의하면 큰할아버지가 다섯 살이었을 때 보현사 스님이 오셔서 데려갔다 합니다. 그래서 그 할아버지는 중이 돼서 일생을 절에서 살았는데 저도 할아버지를 따라가서 한 번 뵈었습니다."

"상원암에 가서 말입니까?"

"그렇습니다. 어느 날 저의 조부님이 형님을 한번 보고 와야겠다고 하시면서 저를 데리고 절로 갔습니다. 그래서 따라 갔는데 가서 보니 큰할아버지는 하얀 머리를 묶어 등 뒤에 늘어뜨리고 지팡이를 짚고 계시더군요. 공산정권이 들어서서 절에 있는 중들을 모두 하산시켰는데 저희 큰할아버지는 속가 집으로 내려오지 않고 절을 지키겠다고 하면서 절에 남아 있었답니다. 공산당원들도 건물을 지킬 사람이 필요하므로 큰할아버지를 굳이 하산시키지 않고 절에 남아 있게 한 거 같습니다. 그래서 할아버지는 상원암에서 일생을 혼자 사셨지요. 지금은 물론 돌아가셨겠지만요."

"건물을 지킬 사람이 필요했다는 걸 보면 그 절은 오래된 절 같습니다."

"고려 때 창건한 절이라고 합니다."

"뜻밖에 귀한 분을 만나 가슴이 설렙니다. 선생님 존함은 어떻게 되십니까?"

"저는 김태교입니다. 클 태(太), 가르칠 교(敎) 자를 씁니다."

"큰 교육자가 될 성함이시군요."

"부모님이 무슨 생각으로 그런 이름을 지어 주셨는지는 모르지만 이름하고는 상관없는 삶을 살고 있습니다."

"8년 전에 남한에 오셨다고 했는데 남한에는 어떻게 해서 오시게 됐습니까?"

"그 얘긴 복잡해서 나중에 말씀드리겠습니다."

"궁금한 게 많아서 제가 너무 욕심을 부렸군요. 제 이름이 향산이라서요."

"향산이시라고요? 설마 저희 고향과 같은 글자는 아니시겠지요?"

"같은 글잡니다. 제 얘기도 복잡하니 나중에 천천히 합시다."

향산이 웃으며 마무리를 지었다.

"만날 인연이 만나게 된 거 같습니다. 그럼 화제를 돌려 아까 보살님이 말씀하신 얘기를 좀 더 구체적으로 나눠 보시죠."

총장이 상지 보살을 보며 말했다.

"계획을 세워서 인위적으로 만들 생각은 없습니다. 고향이 필요한 사람한테 고향이 되게 하고 싶은 게 제 생각입니다."

"그런 의미라면 예경원은 제게도 고향입니다. 마음의 고향이니까요."

"그렇게 말씀해 주시니 고맙습니다. 우리가 고향을 그리워하는 것은 강, 산, 들, 집 같은 자연도 있지만 그 안에서 함께 살았던 사람이 있기 때문일 것입니다. 부모 형제를 위시해 일가친척 친구들이 있었기 때문에 고향을 잊지 못하는 거겠지요. 여기 모이는 사람들이 서로 마음을 따뜻하게 교류한다면 예경원도 훌륭한 고향이 될 수 있으리라고 봅니다."

"고향이 없는 사람들에게 고향을 만들어 준다, 훌륭한 프로젝트 같습니다."

"프로젝트라는 말은 총장 냄새가 물씬 풍기는 말이라 거부감이 느껴집니다. 흙냄새, 물 냄새, 구름 냄새가 물씬 나는 말을 상용하셔야죠."

노 기자가 항의하자

"직업병은 확실히 고질병이야. 내 사과하지."

총장이 너털웃음을 웃으며 사과했다. 깨끗이 정돈된 교자상 위엔 과일과 차가 놓이고 그네 회원과 예경 회원들은 차담을 나누며 고향을 만들어 가고 있었다. 각자 잘 다듬은 벽돌 한 장씩을 놓으면서.

"어서 오게."

"바쁜데 시간을 빼앗는 게 아닌지 모르겠네."

"안 하던 예의까지 갖추는 걸 보니 마음에 변화가 인 모양이네. 우선 앉게."

원해가 향산에게 앉으라고 하며 커피를 내리러 갔다. 향산은 소파에 앉으며 창밖으로 시선을 돌렸다. 교정에 들어설 때만 해도 잔뜩 찌푸렸던 하늘에서 희끗희끗 눈이 내리기 시작했다.

“어, 눈이 오네.”

“눈이 와?”

원해가 들고 온 커피잔을 탁자 위에 놓으며 창밖을 바라봤다.

“이 방에 들어올 때만 해도 눈이 오지 않았는데 그사이에 오네.”

향산이 커피잔을 들며 말했다.

“눈은 그렇고. 급히 만나자고 한 용무가 뭔가?”

“강릉을 다녀온 후로 흥분이 돼서 만나자고 했네. 김태교 씨를 만나고 나니 막연하게 머릿속을 맴돌던 논문 제목이 확실하게 떠오른 거 같기도 하고, 부풀어 오르는 아내 배를 보며 내가 아빠가 되는구나, 하고 막연하게 생각하다가 아내가 낳은 아이를 직접 눈으로 목격하면서 느끼게 되는 아빠로서의 자각 같기도 하고… 참으로 묘한 감정이 드네.”

“계속해 보게.”

“사실 나는 향산재단 이사장 장남이긴 하지만 향산이라는 이름이 막연했네. 그 일이 조부님 일이고 보니 더욱 그랬던 거 같네. 그런데 이번에 강릉에 가서 향산군에서 왔다는 사람을 직접 보니 정신이 번쩍 들데.”

“빚 받으러 온 사람 같아서?”

"하하하. 빚을 갚아야 한다는 절박감 때문이네."

"이번에 강릉에 간 건 자네를 위해서였던 거 같구먼. 계속하게. 자네 생각을."

"묘향산이라는 산이 어렴풋이 가슴속에 자리 잡고 있긴 했지만 그 산은 내게 현실이 아니었네. 그런데 묘향산을 오르내리며 살았다는 사람을 만나고 나니 그 산이 현실로 다가오데. 그래서 서울에 와서 묘향산 자료를 찾아봤네. 묘향산은 평안북도와 자강도의 경계에 솟아 있는 산인데 그 장관과 역사성은 여기서 말할 수 없으니 생략하겠네. 자네한테 하려는 말은 묘향산을 에워싸고 있는 향산군, 녕원군, 구장군, 희천시를 가슴에 품어 보고 싶다는 것일세. 가슴에 품어 보고 싶다는 말은 애정을 가지고 싶다는 말이고, 그곳에 사는 사람들과 진심에서 친교를 나누고 싶다는 말일세. 나는 묘향산과 묘향산을 에워싸고 있는 세 개의 군과 희천시의 자료를 면밀히 들여다보면서 내 몸의 해부도를 보는 것 같았네. 설명하긴 몹시 난해한 감정인데 뭉뚱그려서 말한다면 한 몸 같다는 생각이었네. 몸이 하나라면 영혼도 하나라는 말 아니겠나? 손에는 잡히는데 설명이 안되는… 그래서 자네를 찾아왔네. 지금의 감정이 희석되기 전에 자네한테 전해야겠다는 생각에."

"무슨 말을 하려는지 알 거 같네. 알 거 같긴 한데 딱 잘라서 설명은 안 되네. 우리 천천히 답을 찾아가세."

"그러세. 자네와 함께 이 정도의 결론에 이른 것만으로도 충분하네."

"고맙네. 〈반갑다, 친구야!〉를 이끄는 나도 자네와 같은 용광로 속을 한번 들어갔다 나와야겠다는 생각이 드네. 입으로 머리로가 아니라 온몸으로 체감하는 과정이 꼭 필요하다는 생각이 절실히 드네."

"역시 자네는 좋은 친구네. 자네를 만나지 못했다면 내 인생이 얼마나 쓸쓸했겠나?"

"인도 거지 펀치가 세긴 세네. 한 방에 훅 날리는 걸 보면."

"인도 거지? 하하하. 인도 거지가 역시 한 수 위네."

그때 핸드폰이 몸을 떨었다. 원해가 얼른 핸드폰을 들었다.

"강 박사님 안녕하세요. 저 윤설화입니다."

세련됨을 가장한 목소리가 들렸다. 원해는 핸드폰을 귀에서 잠시 떼었다가 말했다.

"윤 여사님이시군요. 그간 안녕하셨습니까?"

"네. 전 잘 지내고 있습니다. 강 박사님 오늘 시간이 괜찮으시면 제가 딸을 데리고 한번 방문하고 싶어서요."

"무슨 용무인지 제가 여쭈어봐도 될까요?"

"진로 문제로 박사님 조언을 듣고 싶어서요."

"따님이 학생입니까?"

"네. 중학교 3학년이에요. 앞으로 유학도 가야 하고 해서 박사님 조언이 필요해서요.”

원해는 의외라는 표정을 짓다가 정중히 말했다.

“오십시오. 언제쯤 오시겠습니까?”

“오늘 점심 약속이 없으시다면 제가 점심을 모시고 싶습니다. 저희 아이도 방학 중이라 학교에 가지 않아서요.”

“점심 약속은 없습니다만.”

“그럼 제가 박사님을 모시러 학교에 가겠습니다. 마침 제가 학교 부근에 있어서요.”

“오셔서 연락 주십시오. 그럼 제가 나가겠습니다.”

“고맙습니다. 곧 가겠습니다.”

전화가 끊겼다.

“손님이 오는 거 같은데 나는 그만 가겠네.”

향산이 자리에서 일어났다.

“우리 연구소에 후원하시는 분이네.”

“그럼 또 보세.”

향산이 약수를 하고 문밖으로 나갔다. 원해도 따라 나가 인사했다.

“또 보세.”

원해는 멀어져 가는 향산 뒷모습을 잠시 바라보다가 몸을 돌렸다. 저 친구가 없으면 내 인생도 쓸쓸하겠지!

11

인간의 영역은?
의식의 영역은?

방을 깨끗이 정리한 혜륜은 커피포트 스위치를 올린 후 책상에 앉았다. 그리고 차 통에서 차를 조금 덜어 일인용 찻잔에 넣고 커피포트의 뜨거운 물을 천천히 부었다. 말렸던 찻잎이 펴지면서 찻잔에 노르스름한 차가 담겼다. 혜륜은 거름 용기를 들어내고 천천히 차를 마시며 창밖을 바라보았다. 눈이 오나? 희뿌옇게 펼쳐져 있는 허공을 응시하던 혜륜은 몸을 일으켜 창문을 열었다. 그러던 혜륜의 입에서 탄성이 나왔다. 언덕에 서 있는 나무들이 눈을 흠뻑 이고 있어서였다. 언제부터 저렇게 많은 눈이 왔지? 가지 위에 수북이 쌓여 있는 걸로 봐서는 이른 새벽이나 아니면 늦은 밤부터 온 거 같았다. 그런데 난 그것도 모르고 잤네. 혜륜은 뭔가 미안하기도 하고 아쉽기도 하다는 생각을 하며 내리는 눈을 바라보다가 창문을 닫았다. 서울에서 눈다운 눈을 본 건 오늘이 처음이었다. 눈은 허공에 떠 있던 습기가 찬 공기를 만나 내리는 거라고 한다. 함박눈, 싸락눈, 가루눈, 진눈깨비…. 책에서 본

눈의 결정체는 정교하게 세공한 그 어느 보석보다도 더 화려하고 아름다웠다. 습기가 찬 공기를 만나 그토록 아름다운 결정체를 일정하게 만들어 낼 수 있다니, 어떻게 그런 일이 가능한지 오묘했다. 혜륜은 책에서 본 눈의 결정체들을 잠시 떠올리다가 컴퓨터를 켰다. 작품을 써야 한다는 강박관념은 온몸을 포박하고 있지만 작품을 쓰는 일은 손끝까지 와닿지 않았다. 혜륜은 예경원 멤버가 된 게 자신에게 내려진 축복이라고 생각했다. 예경원 회원들과 함께했던 일 년여의 시간을 통해 혜륜은 새로운 세상에 눈을 떴다. 지금까지 보아 왔던 부모님의 세계와는 또 다른 세계, 그런 세계가 세상에 펼쳐져 있다는 게 신기했다. 혜륜은 예경원 회원들과 시간을 같이하면서 사람을 이해하는 눈이, 그 사람들이 만들어 가는 세상을 이해하는 눈이 확대되었다. 예경원 회원들을 만나지 못했다면 자신은 부모님의 세계 안에 머물러 있었을 것이다. 혜륜은 만약 신이 있다면 그 신은 자신의 부모님을 미소 지으며 바라볼 것이라 믿고 있었다. 소박한 아름다움, 소박한 행복을 자신의 것으로 만들 수 있는 힘을 부모님은 지니고 있어서다. 하지만 그 아름다움과 행복은 자신 안에 머물러 있었다. 부모님은 청빈하다고 할 수 있을 만큼 절제된 생활을 하면서 나머지 여유분은 이웃에게 돌렸다. 결코 쉬운 일이 아닌 그 일을 부모님은 실천에 옮기며 살아왔다. 부모님이 그렇게 살아 온 건 자신들 안에 탐욕이 자리 잡지 않게 하기 위함이었다. 탐욕에 자리를 내주지 않음으로써 마음 안에 여백을 만들어 갈 수 있다는 신념을 지니고 있었다. 하지만 부모님은 그 일을 적극적으로 펼칠 생각은 하지 않았다. 다른 사람들로 하여금 자신이 누리는 소박한 아름다움과 소박한 행복을 공유하게 하려는 마음까지는 내지 못했다. 그런데 예경 회원들은 달랐다. 그분들의 관심은 처음부터 세상을 변화시키는 데 맞춰져 있었다. 세상을 변화시켜 모두가 행복하게 살게 하는 게 인생의 목표였다. 행복의 주체가 개인에서 전체로 옮겨져 있었다. 혜륜은 예경 회원들을 통해 대승을 이해하게 되었다. 그리고 대승의 주역인 보살을 이해하게 되었다. 그건 신천지를 얻은 것만큼이나 경이로운 일이었다. 만약 예경 회원들을 만나지 못했다면 신천지는 자신의 생 안에서 펼쳐져 있지 못했을 것이다. 그래서 혜륜은 자신이 새롭게 경험하고 있는 신천지에 대한 작품을 쓰고 싶었다. 그 결정을 하게 한 직접적인 동기는 해인스님의 〈생명의 실상〉에 대한 법문이었다. 신천지는 지금까지 경험하지 못했던 새로운 세상에 대한 인식을 말한다. 그 인식을 문학이라는 매개를 통해 세상에 알리려고 하는 것이 혜륜의 작품 구상이었다. 그런데 막상 그런 구상을 하고 보니 그 일은 새로운 세계를 창조하는 것임이 알아졌다. 문학은 근본적으로 새로운 세계를 창조하는 것을 말한다. 창조하는 소재는 말할 것도 없이 현실이다. 현실 속에서 벌어지는 다난한 삶의 형태를 문학이라는 그릇에 녹여 새롭게 형상화해 세상에 드러내는 것이 작가의 몫이다. 그런데 신천지라는 개념이 작품 속으로 들어오면 얘기가 완전히 달라진다. 신천지는 말 그대로 새롭게 경험하는 세계다. 그래서 함께 공유하고 있는 현실이 없다. 혜륜이 고민에 봉착한 건 바로 그 사실 때문이다. 혜륜은 새로운 작품을 구상하면서 인간을 어디까지로 봐야 하는가? 라는 물음이 풀어야 할 과제로 떠올랐다. 인간은 다양한 감정을 향유하고 있는 존재다. 슬픔 기쁨 행복 불행 노여움 사랑 미움 다양한 욕망 등. 인간이 향유하고 있는 다양한 감정이 문학의 소재다. 작가는 현실 속에서 경험하고 있는 이런 다양한 인간의 얘기를 재구성해서 옷을 입혀 세상에 내놓는 작업을 하는 사람들이다. 작가와 독자 사이에는 현실 속에서 경험한 공통의 기억이 있다. 그것이 공감대를 형성하는 것이다. 그런데 혜륜이 쓰고자 하는 작품 속에는 작가와 독자가 현실 속에서 함께 공유한 경험이 없다. 그건 새로운 세계, 신천지기 때문이다. 이 신천지에는 슬픔 기쁨 행복 불행 노여움 사랑 미움 다양한 욕망 등 인간의 영역이 초극해 있다. 인간의 영역을 초극하고 있는 자리, 초극하지 못했더라도 초극하려는 강한 의지를 가진 자리서부터 출발한다. 화엄경 십지품에 들어오면 인간의 영역을 초극한 얘기로 가득하다. 문학의 소재로 다뤄졌던 인간의 얘기는 여기에선 아무 힘도 얻지 못하고 있다. 그럼 화엄경 십지품에 등장한 보살은 인간이 아닌가? 여기에 대한 답은 자명하다. 화엄경 십지품에 등장한 보살도 인간이다. 인간이 진화해 가면서 보살이 되었다. 별개의 존재가 아니다. 여기에 문제의 함정이 있다. 같은 존재인데 영역을 달리하고 있다. 이걸 어떻게 설명할 수 있을까? 어떻게 설명해서 독자에게 작품으로 보여 줄 수 있을까? 혜륜은 예경 회원들과 함께 해인스님으로부터 화엄경 십지품 강의를 들으면서 인간의 영역을 어디까지 확대해야 하는가에 대한 새로운 숙제를 안게 되었다. 인간 영역의 확대는 인간 의식의 확대를 의미할 것이다. 인간의 의식은 어디까지 확대해 갈 수 있을까? 오욕칠정에 허덕이는 인간군상과 그것을 초극한 보살의 활동무대는 그 영역이 분명히 다르다. 그렇다고 해서 보살의 활동무대가 인간 세상을 떠나 있는 것도 아니다. 해인스님, 상지 보살, 박광효 총장, 강원해 박사, 노의근 기자, 선우 향산, 손지운 교수, 한수희가 분명 현실 속의 인물인 것처럼. 혜륜은 인간의 영역을 확대한 이들의 이야기를 작품으로 형상화해 보고 싶었다. 그건 인간 의식을 최고도로 확대한 글을 써 보고 싶은 욕망과도 같은 것이었다. 해인스님으로부터 지금까지 법문을 들은 건 십지품 중 4번째 단계인 염혜지였다. 앞으로 한 품 한 품 더 법문이 진행되면 의식영역이 어디까지 확대될지 그건 혜륜으로서는 알 수 없다. 아니 자신만 알 수 없는 게 아니라 모든 사람이 다 알 수 없는 영역이다. 그렇다고 해서 그게 인간의 의식영역을 벗어나 있는 것은 아니다. 인간의 의식이 무한대로 확대될 수 있는 가능성에 대한 설명이다. 그렇다면 인간의 영역은 어디까지일까? 인간의 의식영역은? 그 세계를 작품으로 형상화할 수 있을까? 작품으로 형상화하면 그걸 받아 주는 독자가 있을까? 작품으로 형상화할 수도 없고 그걸 받아 주는 독자도 없다면 그 세계는 없는 세계일까? 없는 세계라면 화엄경 십지품은 어떻게 등장할 수 있었고 해인스님은 그것을 어떻게 이해하고 받아들일 수 있었을까? 화엄경 십지품도 현실 속에 엄연히 존재해 있고 해인스님도 현실 속에 엄연히 존재해 있는데 이 모든 걸 없는 것이라고 말할 수 있을까? 혜륜은 자신 앞에 가로놓여 있는 이 절벽을 어떻게 뛰어넘어야 할지 막연했다. 그래서 괴로웠다.

이런 괴로움은 나만 느끼고 있는 걸까? 그런 의문에 잠겨 있던 혜륜 머릿속에 손지운 교수 모습이 떠올랐다. 적어도 손 교수는 자신이 겪고 있는 고민을 겪었을 것 같았다. 자신이 문학이라는 매체를 붙들고 고민하듯 손 교수는 성악이라는 매체를 붙들고 고민했을 것 같았다. 그런 생각을 하자 혜륜은 손 교수를 만나고 싶어졌다. 손 교수를 만나면 답을 찾을 수 있을 것 같았다. 여기까지 생각을 모아 가던 혜륜은 시계를 보았다. 아침 8시 22분이었다. 아침 8시 22분이면 전화를 하기엔 이른 시간이다. 혜륜은 마음이 초조해 옴을 느끼며 다시 시계를 들여다보았다. 그 사이에 2분이 지나 시간은 아침 8시 24분을 가리키고 있었다. 아직도 전화를 하기엔 이른 시간이다. 혜륜은 자리에서 일어나 다시 창문을 열었다. 싸락눈은 소리 없이 계속 내리고 있었다. 싸락눈이 만들어 낸 새로운 세계, 신천지가 시야 가득 들어왔다.

"조그만 꼬맹이가 쓸쓸함을 알다니!"

초밥 접시를 앞에 놓고 정종을 따르던 손 교수는 피식 웃었다. 혜륜을 조그만 꼬맹이라고 표현한 자신의 말이 우스워서였다. 손 교수는 전날 혜륜과 앉았던 자리에 앉아 혜륜이 한 말을 떠올리고 있었다.

"교수님을 보고 있으면 심연에서 피어오르는 쓸쓸함이 느껴져요. 그 쓸쓸함이 사람들 가슴을 위로하는지도 모르죠."

사람들은 자신의 노래를 들으면 위로받고 있다는 생각이 든다고 했다. 이해받고 있다는 생각도 든다고 했다. 그런데 지금 자신은 혜륜이 한 말을 떠올리며 위로받고 있다. 인생을 살아보지도 않은 혜륜이 어떻게 쓸쓸함을 이해하고 있는지 신기했다. 그것도 무엇 하나 부족함이 없는 환경에서 자란 여대생이. 손 교수는 아침에 출근해서 핸드폰을 열다가 혜륜이 보낸 문자를 봤다. '교수님과 대화를 나누고 싶어요. 인간의 영역이 어디까지인가에 대해서요. 의식의 영역도 어디까지인가에 대해서요.' 손 교수는 문자를 보는 순간 가슴이 뛰던 걸 똑똑히 기억하고 있다. 조그만 꼬맹이가 보낸 문자를 보고 가슴이 뛰다니. 손 교수는 혜륜을 조그만 꼬맹이라고 표현하고 다시 한 번 피식 웃었다. 혜륜은 대학생이고 나는 대학교수다. 혜륜은 조그만 꼬맹이고 나는 어른이다. 손 교수는 혼자 정종 잔을 비우며 중언부언했다. 그런데, 그런데 나는 혜륜으로부터 이해받고 있다는 생각이 든다. 위로받고 있다는 생각도 함께. 손 교수는 의자 등받이에 허리를 기대고 눈을 감았다. 혜륜의 표현대로 심연에서부터 쓸쓸함이 피어오르며 자신을 몹시 지치게 했다. 손 교수는 혜륜에게 만나자는 문자를 보내고 싶지만 참았다. 참고 있는 가슴이 싸—아 하게 아팠다. 하지만 지금과 같은 칙칙한 기분으로는 혜륜을 만나고 싶지 않았다. 아침에 출근할 때 장모는 자신의 등 뒤에서 이렇게 말했다. '자넨 어쩜 그렇게 인정머리가 없는가? 고대하던 아이를 가졌는데도 뭐가 먹고 싶으냐고 한번 물어보지도 않고. 입덧 때문에 맹물도 못 마시는 줄 뻔히 알면서.' 눈을 감고 있는 손 교수 입가에 야릇한 미소가 지어졌다. 만약 아내가 임신한 게 사실이라면 3가지 방법 중 하나일 거다. 첫째는 정자를 기증받아 체외수정인가를 통해 임신했을 수 있다. 하지만 그건 아닐 것 같았다. 정자를 기증받으려면 남편의 동의를 얻어야 한다는데 자신은 그런 동의를 해 준 사실이 없기 때문이다. 두 번째는 다른 남자와 불륜관계를 맺으면서 임신을 할 수 있다. 불륜관계를 통해 임신했는데 그 사람과 결합할 수 없을 때 자신의 아이인 것처럼 꾸며 자신을 속일 수 있다. 하지만 그동안 자신이 겪어 온 아내는 다른 남자와 불륜관계를 맺으면서 자신을 속이는 그런 유의 여자는 아니다. 그렇다면 마지막으로 세 번째, 그건 돈으로 남자를 사서 임신을 하는 거다. 방송을 보다가 우연히 안 내용이지만 세상에는 그런 경우가 있는 것 같았다. 세상에 그런 경우가 있다면 손 교수가 생각하기에 세 번째가 가장 타당할 거 같았다. 만약 아내가 자신의 추측대로 돈으로 남자를 사서 임신했다면 나는 그 사실을 어떻게 받아들여야 하나? 손 교수는 자신에게 질문을 던졌다. 답은 자신이 찾아야 하는데 어떻게 찾아야 할지 갈피가 잡히지 않았다. 손 교수는 의자 등받이에 기댔던 허리를 펴며 정종 잔에 다시 술을 따랐다. 그리고 따른 술을 물끄러미 내려다봤다. '아내 되시는 분이 고마움을 느끼게 하세요. 고마움 안에는 미안함이 포함돼 있어요. 그러려면 순간순간 지혜로워야 해요.' 지난번 강릉에 갔을 때 상지 보살이 들려준 말이다. 손 교수는 상지 보살을 만나 비교적 솔직하게 자신의 얘기를 했다. 결혼 동기부터 결혼 생활을 영위해 오고 있는 지금의 현실까지. 자신은 정관수술을 했고 아내는 지금 임신 중이라는 얘기는 하지 않았지만 돌이켜 보니 상지 보살은 그 사실을 알고 자신에게 그런 말을 한 거 같았다. '아내 되시는 분이 고마움을 느끼게 하세요. 고마움 안에는 미안함이 포함돼 있어요. 그러려면 매 순간 지혜로워야 해요.' 손 교수는 상지 보살이 한 말을 다시 떠올리며 천천히 머리를 끄덕였다. 정답인 거 같았다. 어떻게 실천할지에 대해서는 감이 오지 않지만, 문제를 풀 답은 얻은 거 같았다. 답을 얻었다고 생각하니 헝클어졌던 머리가 많이 정리되었다. 손 교수는 정종 잔을 비우고 시계를 들여다봤다. 시간은 저녁 7시 40분을 가리키고 있었다. '꼬맹이를 불러내기엔 너무 늦은 시간이군.' 손 교수는 혼자 중얼거리며 도레미가 정연하게 자리를 잡고 있는 접시를 내려다봤다. 그러고 있는 가슴 한끝이 싸—아 하게 아파 왔다. 손 교수는 머리를 흔들어 자신의 감정을 털어 내고 밥을 감싸고 있는 주황색의 연어를 집어 입에 넣었다. 심연에서부터 피어오르는 쓸쓸함을 애써 누르며.

"어서 오십시오. 바깥은 많이 춥지요?"

"차로 움직여서 괜찮았어요. 그런데 저건 뭔가요?"

수희가 소파에 앉으며 책꽂이 위에 얹혀 있는 조각상을 가리켰다.

"저희 연구소를 돕는 후원잔데 딸을 데리고 와서 인사를 시키며 놓고 갔습니다."

원해가 커피잔을 수희 앞에 놓아 주며 말했다. 왼쪽 다리를 뒤로 쭉 뻗고 오른쪽 무릎을 앞으로 꾸부린 여인이 지구를 두 손으로 치켜올리고 있는 조각상이었다.

"남자도 아닌 여자가 지구를 두 손으로 치켜올리고 있다니, 몹시 힘들겠네요."

"하하하, 저도 그 비슷한 생각을 했습니다. 그 부인은 자신의 딸이 지구를 두 손 위에 올려놓고 공 굴리듯 굴리며 살기를 바라는 거 같습니다."

"욕심이 과한 거 같군요. 딸은 전혀 그러고 싶지 않을지도 모르는데요."

"그러게 말입니다. 어서 오게. 꼭 맞게 잘 왔네."

원해가 팔을 번쩍 들며 향산을 맞았다.

"수희 씨가 먼저 와 계시는군요. 여기서 뵈니 더 반갑습니다."

향산이 장갑과 코트를 벗으며 인사했다.

“고맙습니다. 어서 앉으셔서 차 드세요. 따뜻한 커피를 마시니 금방 몸이 녹네요.”

“수희 씨가 말한 따뜻한 커피네. 어서 마시게.”

“꼭 맞게 왔다고 반가워하더니 커피 때문이었군.”

“그러네. 바로 그거 때문이었네. 수고를 줄이게 해 줘서.”

세 사람이 커피를 마시며 웃고 있을 때 노 기자와 혜륜이 동시에 들어왔다. 그리고 곧이어 손 교수도 들어왔다. 새로 온 사람들은 모두 수희에게 반갑게 인사를 하고 적당히 자리를 잡고 앉았다. 원해는 다시 자리에서 일어나 커피를 내리러 갔다. 백년지기들처럼 화기애애한 분위기가 순식간에 만들어졌다.

“제 고향 분은 그다음 어떻게 되셨습니까?”

향산이 물었다.

“지금 예경원에 살고 계세요. 며칠 전엔 그분들이 해 준 만둣국도 맛있게 얻어먹었어요.”

“만둣국을 얻어잡수셨다는 걸 보니 벌써 자리가 잡힌 거 같군요.”

“그렇지요. 장 노인이 인사를 시킨 후 바로 집수리를 해서 이사시켰으니까요.”

“이 추운데 집수리를 했는가요?”

"집수리라고 해야 도배와 싱크대 바꾼 거뿐이니까 바깥 날씨와는 상관없죠. 전 상지 보살님을 보고 있으면 저분 머릿속은 어떤 구조일까? 하고 혼자 고개를 갸웃할 때가 많아요. 가을로 접어들면서 예경원 뒤에 있는 집 두 채를 다 수리했어요. 한 채는 농막으로 쓰던 거고 다른 한 채는 예경원 땅을 소유하고 있던 전 주인이 살던 집이에요. 농막으로 쓰던 집은 원래 지붕이 양철로 되어 있었어요. 방 두 칸과 부엌이 있는 일 자 집인데 방 앞에 제법 넓은 마루가 있는 집이지요. 그런데 초가을에 사람을 사서 대대적으로 수리를 하셨어요. 지붕은 기와를 얹고 장작을 때던 아궁이는 입식 부엌으로 개조하고요. 나무를 때는 보일러도 새로 놓고요. 그러면서 이상하게 도배는 하지 않으시는 거예요. 싱크대도 들이지 않으시고요. 그러더니 이번에 그 두 가지를 동시에 하셨어요. 미리 도배를 하고 싱크대를 들였다면 새로 온 사람이 아무래도 새것 같은 느낌은 들지 않았을 거예요. 저는 김태교 씨 부인이 자신들을 위해 새로 도배를 하고 싱크대를 놓아 주었다고 고마워하는 걸 보고 혼자 미소 지었어요.

"그렇군요. 그럼 다른 한 채는 어떤 용도로 쓰일 건데요?"

노 기자가 흥미로운 얼굴로 물었다.

"그건 아직 저도 잘 모르겠어요. 그 집은 전통적인 시골 고옥이에요. 한 터에서 3백 년 가까이 대대로 살았다고 하는데 그 집 아들이 미국으로 유학 가서 미국에서 살게 됐대요. 그래서 땅을 상지 보살님에게 팔면서 집은 남겨 두었다고 하더군요. 조상 대대로 살던 집이라 애착이 갔겠지요. 그러다가 제가 강릉으로 내려온 다음 해에 아들이 와서 집까지 팔고 갔어요. 한국에 다시 와 살 가망이 없게 됐나 봐요. 상지 보살은 그 집을 사면서 이렇게 말씀하시더군요. 내가 이 집을 잘 간수할 테니 고향이 그리워지면 와서 며칠씩 묵어가세요, 라고요. 그 후 보살님은 그 집을 그냥 놔뒀다가 지난가을에 대대적인 수리를 했어요. 가을을 거의 다 보내면서 수리를 하셨으니 뼈대만 남겨 놓고 내부는 다 손을 보신 거죠. 수리가 끝나자 농막과는 달리 도배도 말끔하게 하고 내부 집기도 다 들여놓았어요. 장이나 가전제품은 물론이고 식기나 부엌살림 일체도요. 누구든 언제나 와서 자기 집처럼 머물다 갈 수 있게요. 보살님 의중을 확실히는 모르지만 이번에 아이들에게 고향집을 만들어 주는 걸 보며 느낀 건데, 보살님은 그 집을 고향이 없는 사람들에게 고향처럼 와서 며칠씩 머물다 가게 하려는 거 같아요. 특히 고향을 북한에 두고 온 김태교 씨 같은 사람들한테요."

수희의 긴 설명을 듣고 난 사람들은 감동적인 표정을 지으며 수희를 쳐다봤다. 그럴 때 노 기자가 질문했다.

"참, 두 아이는 어떻게 됐습니까? 수희 씨 아들과 따님 말입니다."

"송이는 서울에서 고등학교를 다니게 하고 상진이는 강릉에서 고등학교를 다니게 한다네. 두 아이 다 신학기에 고등학교 입학을 하게 되니까. 그래서 수희 씨가 이번에 서울에 오신 거라네. 상진이 진학 문제로."

원해가 대신 설명했다.

"송이는 왜 서울에서 고등학교를 다니게 했는가요? 강릉에 있는 여고도 명문고로 소문이 나 있던데요."

"본인이 원해서예요. 송이가 말을 하지 않아 그 마음을 정확히는 모르지만 보육원 아이들한테 상처를 주지 않으려는 배려 같았어요. 자신이 너무 많은 복을 누리면 보육원 아이들이 상처를 받을 거라고 생각하는 거 같았어요."

"송이는 정말 대단한 아이군요. 그런 생각을 하는 것도 대단하지만 그 생각을 실천에 옮기는 것도 대단하다는 생각이 듭니다."

"네, 맞아요. 송이 얘기는 그만하고 상진이 얘기를 할게요. 이 세상에서 상지 보살님을 시골 할머니처럼 편하게 생각하는 사람은 상진이밖에 없을 거예요. 저도 상지 보살님 앞에 서면 긴장하는데 상진이는 전혀 그렇지 않아요. 늦잠을 자고 싶으면 해가 중천에 떠오를 때까지 늦잠을 자고, 낮잠을 자고 싶으면 아무 때나 제 방에서 늘어지게 낮잠을 자거든요. 먹고 싶은 게 있으면 스스럼없이 찾아 먹거나 해달라고 주문해요. 옆에서 보는 제가 민망할 때가 한두 번이 아니에요."

수희 설명을 듣고 모두 소리 내서 웃었다.

"상지 보살님을 시골 할머니처럼 편하게 생각한다니 그놈 참 배짱 한번 두둑하네요."

향산 말을 듣고 다시 웃었다.

"제가 생각하기에 상진이가 그렇게 하는 건 전적으로 상지 보살님 힘인 거 같아요. 제가 터미널에서 두 아이를 데리고 와 처음 상지 보살님에게 인사를 시킬 때 상지 보살님을 보면서 놀랐던 기억이 지금도 생생해요. 그때 제 눈에 들어온 상지 보살님은 영락없는 시골 할머니 모습이었거든요. 어떻게 그런 모습으로 비쳤는지 지금도 의아해요. 상진이가 만약 상지 보살님한테서 그런 모습을 보고 있다면 그 아이가 그렇게 행동하는 건 무리가 아닐 거 같아요. 저라도 아마 그랬을 거 같아요. 편안하고 편안한 시골 할머니."

수희 말을 듣고 있던 혜륜이 조심스럽게 말했다.

"그러고 보면 평범한 시골 할머니들이 다 도인 같네요. 누구에게나 편안함을 주니까요."

"정말 그런데요."

노 기자가 새로운 발견이라도 한 듯 큰 소리로 찬동했다. 손 교수는 그런 노 기자를 미소를 지으며 바라봤다.

"김태교 씨는 어떤 분 같던가요?"

향산이 물었다.

"제가 보기엔 반듯한 분 같아요. 정직하고 강직한 그런 분이요. 만약 교육을 제대로 받았으면 이름처럼 큰 교육자가 됐을 거 같아요."

"그분 아드님은 아직 못 봤습니까? 한의대에 다닌다는."

"이사 올 때 다녀갔어요. 똑똑하면서도 자상하다는 느낌이 들었어요. 세간을 어머니 마음에 들게 몇 번씩이나 옮겨주더군요. 인물도 좋고요."

"몇 학년이라 하던가요?"

"본과 4학년이래요."

"제가 한번 만나 보려고요. 우리 학교는 한의대가 없지만 본인이 원하면 공부를 끝까지 하도록 도와주고 싶어서요."

"그거 좋은 생각이네. 한의학 분야의 인재를 양성하는 것도 아주 중요한 일일 거 같네. 자네와 인연이 잘 맞았으면 좋겠네."

원해가 진심을 담아 말했다.

"고맙네. 한의학 분야뿐 아니라 다른 분야에서도 눈에 들어오는 청년이 있다면 인재로 키우고 싶네. 훗날을 기약하면서."

향산이 자신의 생각을 고백하듯 말하자 모두 찬동하면서 좋아했다. 꼭 필요한 일이라고 격려하면서.

"지금 하신 말씀을 들으면서 떠오른 생각인데요. 청소년들, 그러니까 고등학생부터 30살 미만의 소년과 청년들을 미래 지도자로 키우는 프로젝트가 있으면 좋겠네요. 통일을 대비해서요. 자존감과 사명감을 함께 가질 수 있도록이요."

혜륜이 조심스럽게 제안하자

"나도 오래전부터 그런 생각을 해 오고 있었습니다. 좋은 생각이 떠오르면 언제든 조언을 주십시오."

향산이 혜륜의 제안을 진지하게 받아들였다.

"나도 그 일은 꼭 필요한 일이라고 생각하고 있었네. 앞으로 본격적인 논의를 해 보세. 그럼 우리 학교에서 세운 새해 계획을 말씀드리겠습니다. 총장님과 합의를 보았을 뿐 아니라 교수회의에서도 논의를 거친 일이라 말해도 될 거 같습니다. 〈반갑다. 친구야!〉는 100% 목표 달성을 했습니다. 인성장학금을 받은 졸업생 위주로 했기 때문에 연락이 닿은 회원은 다 동의했습니다. 그래서 같은 취지를 이번에는 학교 전체로 확대하기로 결정을 봤습니다. 원하는 분에 한해서 교수와 교직원 중심으로 가담시키고 취지에 동감하는 졸업생이나 재학생 학부모가 있다면 그분들도 동참하게 했습니다. 나와 같은 해, 같은 달, 같은 날에 북한에서 태어난 친구가 행복하기를 빌며 선물을 미리 준비하는 거라고 하니 모두 즐겁게 참여하더군요. 훨씬 구체적으로 느껴진다고 하면서요. 그런 의미에서 혜륜 씨 아이디어가 큰 공을 세웠습니다."

원해가 혜륜을 보며 웃자

"그렇게 말씀해 주셔서 고맙습니다. 저는 노 기자님과 함께 손 교수님 팬들을 중심으로 꼭 필요한 일을 만들어 보겠습니다. 앞으로 손 교수님 팬들을 관리할 사람은 노 기자님과 저 같아서요."

혜륜이 노 기자를 보며 웃자

"좋습니다. 손 교수님 팬들을 모으면 어마어마한 일이 만들어질 거 같은데요. 새해엔 혜륜 씨와 함께 그 일을 해 보겠습니다."

"그렇게 말씀하시니 노래를 부르고 싶은데 어디 가서 제 노래를 들으십시오. 무궁한 발전을 위해 제가 축배의 노래를 부르겠습니다."

"좋습니다. 수희 씨도 오셨는데 어디 가서 이른 저녁을 먹읍시다. 송년회를 겸해서요. 연말 전에 이렇게 다 모이기도 어려울 거 같은데요."

향산이 주위를 둘러보며 말했다.

"그러세. 아래 중국집이 있는데 거기 가서 저녁을 먹세. 잠깐 기다려 보게. 내가 총장님께 전화를 드려 보겠네."

원해가 핸드폰을 들고 자리에서 일어나 전화를 걸었다.

"예경 회원들이 다 모여 있습니다. 수희 씨도요. 네, 네.

저 아래 중국집으로 가려 하는데 그리로 오십시오. 네 알겠습니다."

원해가 얼굴 가득 미소를 담고 자리로 돌아왔다.

"30분 후에 중국집으로 오신다네. 우리도 서두르세."

"이거 일사천리로 송년회가 이루어지는군. 역시 우린 예경 회원들이야. 장애가 없거든."

향산이 먼저 자리에서 일어나자 모두 따라 일어났다. 서로가 서로에게 예경(禮敬) 올리는 데 장애가 있을 수 있겠나. 암.

12

생명의 실상, 법석을 차리다

5 난승지

5. 난승지

해인스님이 결가부좌를 하고 법석에 앉아 계신다. 스님 주위가 고요하다. 고요함이 향기롭다. 반안(半眼)을 뜨고 정좌하고 계신 스님 모습이 아름다워 숨이 막힌다. 대중은 그런 스님을 경건한 마음으로 바라본다. 잠시 후 선정에서 깨어나신 스님은 대중을 둘러보신다. 상지 보살, 박 총장, 향산, 노기자, 송혜륜, 강원해, 손 교수, 수희 모습이 차례로 시야에 들어온다. 해인스님은 미소를 지으며 한 사람 한 사람을 바라보다가 조용히 입을 여신다.

오늘은 지난번에 이어 화엄경 십지품 중 다섯 번째 단계인 난승지(難勝地)에 대해 법문을 하겠습니다. 제5지인 난승지는 십지품 중 중간에 자리하고 있습니다. 이 난승지에 이른 보살은 가장 이상적인 인간의 모습으로 우리 가까이 다가옵니다. 따라서 난승지 이상부터는 사실상 인간의 모습이라고 하기는 어렵습니다. 그만큼 우리와는 차원을 달리하고 있다는 얘기지요. 중생의 집에서 보살의 집으로 자리를 옮겨 앉은 환희지 보살은 초월적 체험을 통해 자리이타의 실천적 근거를 얻게 됩니다. 그러나 보살로서 완전한 인격 형성을 이루지 못한 까닭에 보살은 다시 내면의 수련을 통해 지혜를 완성해 갑니다. 제2지인 이구지, 제3지인 발광지, 제4지인 염혜지는 자리(自利)를 완성해 가는 과정이라 할 수 있습니다. 이런 수련을 통해 미세한 숙업의 찌꺼기까지 다 털어 낸 보살은 마침내 자신의 내면에서 지혜의 불꽃을 타오르게 하는 힘을 얻게 됩니다. 이 자리에 이름으로써 보살은 자리를 완성한 것이지요. 자리(自利)를 완성했다는 말은 이타(利他)를 할 수 있는 보살로 자격을 갖추었다는 말과도 같습니다. 그럼 보살로서 자격을 갖추었다는 것은 무엇을 의미하는가? 그건 청정심과 적정심을 심화시켜 평등심을 자유로이 쓸 수 있는 힘을 얻었다는 말과 같은 것입니다. 청정심은 무지가 소멸되어 지혜가 완성됨을 의미하고, 지혜가 완성됨으로써 일체 생명을 차별 없이 바라보는 평등심을 얻게 된 것이지요. 제5지인 난승지에 이르면 무엇에든 좌절하는 일이 없게 됩니다. 보살로서 능력을 맘껏 발휘할 수 있는 힘을 길렀기 때문입니다. 난승지 자리에 이른 보살은 다시 굳건한 서원을 세우게 됩니다. 그건 붓다의 깨달음을 얻기 위해 사물을 있는 그대로 관찰하는 수행을 하는 동시에 지금까지 세웠던 보살 서원을 현실 속에서 실천에 옮기려는 것입니다.

평등심을 얻은 보살은 지혜와 자비의 눈으로 세상을 관찰합니다. 그때 보살은 무지와 애욕 때문에 윤회를 거듭하고 있는 인간들의 적나라한 모습을 직시하게 됩니다. 육체는 언젠가는 소멸해 없어질 것임에도 사람들은 조금도 싫증 냄 없이 육체에 애착을 느끼고 있고, 자아(自我)는 실재하는 것이 아님에도 사람들은 자아라는 관념에 매달려 한시도 놓지 못하고 있음을 보게 됩니다. 그러면서 사람들은 무지와 애욕이 빚어내는 탐진치로 괴로워하고 있는 것입니다. 그동안 수없이 보아 왔던 세상의 실상을 다시 한 번 심도 있게 관찰한 것이지요. 이렇게 세상의 실상을 있는 그대로 관찰한 보살은 의지할 데 없이 고통 속에서 허덕이는 사람들에게 깊은 연민을 느끼며 그들을 구하고자 현실 속으로 뛰어들어 갑니다. 무지의 장막에 가려 있는 사람은 법문을 통해 지혜의 눈을 뜨게 해 주고, 가난의 고통 속에서 허덕이는 사람은 복을 짓는 방법을 일깨워 주고, 병든 사람에게는 병을 치료할 수 있는 약제를 구해 주는 등입니다. 이렇게 실제 생활에 필요한 일이라면 그 일이 어떤 일이든 마다하지 않고 실행에 옮깁니다. 도로를 만들거나 다리를 놓을 때 일손이 필요하면 그 일을 돕고, 연극이나 노래로 사람들을 위로할 수 있으면 그 일을 함으로써 사람들에게 도움을 줍니다. 높은 관직에 있는 사람에게는 사리를 분별할 수 있는 힘을 줘 맡은 일을 잘 처리하게 돕고, 학문을 하는 사람에게는 깊은 혜안(慧眼)을 얻게 해 학문의 세계를 더욱 넓게 펼칠 수 있도록 도움을 줍니다. 난승지 자리에 이른 보살은 좌절함이 없는 자리에 이르렀기 때문에 무슨 일을 하든 사람들한테 실제적인 이득을 줄 수 있습니다. 그러므로 이 자리에 오른 보살은 자신이 하는 일이 귀하다거나 천하다는 생각 없이 세상 사람들에게 필요한 일이라고 생각되면 무슨 일이든 하게 됩니다. 그리고 자신이 돕는 사람에 대한 일체의 분별도 일으키지 않기 때문에 자신이 돕는 사람이 어떤 신분에 있든, 어떤 인성을 가지고 있든, 어떤 능력을 갖추고 있든 전혀 개의치 않고 그 사람한테 도움 되는 일은 무엇이든 하게 됩니다. 그러므로 난승지 자리에 이르러야 비로소 자비심을 온전히 쓸 수 있다 하겠습니다. 난승지 이전에도 수없는 자비행을 했지만, 그 자비는 일체 생명을 평등한 마음으로 대하는 힘을 기르지 못한 상태에서 행했기 때문에 분별심에 의해 한쪽으로 치우쳐 있을 수밖에 없는 것이었습니다. 그래서 경전에서도 이 난승지에 이른 보살은 일월성신에 대한 점을 쳐도 된다고 했습니다. 점을 통해서도 실질적으로 사람들한테 이득을 줄 수 있다는 것이지요. 난승지 자리에 이르면 스스로 지혜의 주체자가 되기 때문에 따로 스승의 도움이 필요하지 않게 됩니다. 자신의 내면에서 뿜어져 나오는 지혜로

옳고 그름과 합리적인 것과 비합리적인 것을 판별할 수 있으므로 윤리의 실천자로 우뚝 서서 중생을 마음껏 제도할 수 있지요. 앞에서도 그랬듯이 이 난승지 자리에 이른 보살에게도 수없이 많은 부처님이 나타나 그의 공부가 깊어졌음을 찬탄합니다. 부처님이 인가를 해 주시는 것이지요. 이것으로 부족하나마 화엄경 십지품 중 다섯 번째 자리인 난승지에 대한 법문을 마치겠습니다. 이해가 잘되지 않는 부분은 자리를 옮겨 서로 토론하면서 보완하도록 하십시오.

법문을 마친 해인스님은 좌중을 향해 미소 지으며 합장했다. 선우에 대한 예경의 마음을 가득 담아서다. 좌중은 깊은 감동 속에서 스님을 우러러보며 합장배례했다. 스승에 대한 지극한 예경의 마음을 담아서다. 아름답고 향기로운 법석, 부처님과 교류하고 있는 것 같은 충만감이 장내를 가득 채웠다.

노 기자는 조용히 일어나 방송 장비를 정돈했다.

"와!"

사람들 입에서 탄성이 울려 퍼졌다. 산기슭에 단아한 모습으로 서 있는 한옥, 기품을 갖춘 대갓집 여인을 바라보고 있는 기분이었다.

"역시 한옥이 좋군요. 그러고 보면 한국 사람들 DNA 속엔 한옥에 대한 친근감이 자리하고 있는 거 같습니다."

총장이 얼굴 가득 미소를 담고 말했다.

"들어가시죠. 날이 차갑습니다."

상지 보살이 앞장섰다. 그러자 모두 뒤따라 안으로 들어갔다.

"여기가 사랑챈데 마루를 사이에 두고 방이 두 개 있습니다. 저쪽 방 끝엔 연못을 바라볼 수 있는 누마루가 있고요. 앞쪽으로는 사랑채 전체를 연결하는 툇마루가 있습니다. 안으로 들어가 보시지요."

상지 보살 말에 모두 신을 벗고 사랑채 툇마루로 올라가 방으로 들어갔다.

"와!"

사람들 입에서 다시 한 번 탄성이 울려 퍼졌다. 들기름에 곱게 전 노르스름한 장판, 엷은 청색의 도배지, 문갑, 사방탁자, 탁자 위에 얹힌 달항아리, 벽에 옷을 걸 수 있는 오죽 횃대… 보일 듯 말듯 서 있는 벽장문.

"이번에 수리하면서 벽장과 화장실을 따로 만들었습니다. 두 방 다 벽장과 화장실이 있습니다."

상지 보살이 설명했다.

"벽장문을 열어 봐도 될까요? 열어 보고 싶은데요."

혜륜이 어리광부리듯 묻자

"열어 보게."

상지 보살이 미소 지으며 하게로 답했다.

"어머!"

살며시 벽장문을 열던 혜륜이 감동하는 표정을 지었다. 벽장 선반에는 회색과 청회색의 비단 이부자리가 반듯하게 얹혀 있고 그 밑엔 차를 마실 수 있는 찻상과 다기가 놓여 있었다. 그리고 그 위에 박이 그려진 다포가 덮여 있었다. 혜륜의 감탄 소리를 들은 사람들도 다가와 벽장 안을 들여다보았다. 그러던 사람들도 혜륜처럼 찻상을 덮은 다포를 보았다.

"저건 박이 아닙니까? 초가지붕이 없는데도 꼭 초가지붕에 얹혀 있는 박 같은데요."

향산이 말했다.

"자넨 초가지붕을 봤군. 나는 달을 봤는데. 어디에도 달이 없는데 달밤에 보는 박이라는 생각이 드네."

"…."

말없이 서서 다포를 보고 있는 혜륜을 노 기자가 주의 깊게 바라보다 물었다.

"혜륜 씨, 뭘 그리 골똘히 보십니까?"

혜륜이 정신이 돌아온 듯 노 기자를 쳐다봤다.

“달이 뜬 것처럼 갑자기 가슴속이 환해져서요. 박이 달이 돼서 제 가슴속으로 들어온 거 같았어요.”

무슨 말이지? 모두 어리둥절한 표정을 지을 때 총장이 나섰다.

“그런 걸 심월(心月)이라 하는데 혜륜이 심월을 경험한 거 같군.”

“심월이 뭡니까?”

노 기자가 물었다.

“심월(心月)은 글자 그대로 마음속에 뜬 달을 말하네. 불교의 수행 과정에서 경험하게 되는 건데 마음속이 마치 달이 뜬 것처럼 환하게 밝아지면서 안과 밖의 경계가 사라지는 걸 말하지.”

“혜륜 씨가 지금 여기서 그런 경험을 했다는 말입니까?”

노 기자가 놀라는 표정을 지으며 다시 물었다.

“아니에요. 제가 경험한 건 그런 게 아닐 거예요.”

혜륜이 고개를 저으며 부정했다.

“다포에 그린 박이 화제가 되는데 저 그림은 누가 그린 겁니까?”

총장이 화제를 바꾸려는 듯 상지 보살을 보며 물었다.

“그림은 제 거예요. 제자가 다포를 만들고 싶다면서 허락해 달라 해서 그러라고 했습니다."

"역시 그렇군요. 다포를 만들었다면 저도 한 장 주십시오. 꼭 갖고 싶습니다."

"그러세요. 집에 많이 있으니 가실 때 가져가세요. 다른 분들도 원하면 드릴게요."

"원하다마다요. 저희도 다 한 장씩 주십시오."

"다포를 만들기 잘했군요. 모두 좋아하니 저도 기쁩니다. 그럼 얼른 둘러보고 안으로 들어오세요. 만둣국이 준비돼 있을 거예요."

상지 보살이 몸을 돌려 밖으로 나갔다.

"우리도 얼른 둘러보고 가세. 점심 준비를 한 거 같으니."

총장이 마루로 나가자 모두 따라 나갔다.

"마루가 굉장히 넓군요. 30명은 앉을 수 있을 거 같은데요. 여기서 바라보는 경치도 일품이네요. 저기 마주 보이는 산이 아주 좋습니다."

향산이 앞산을 바라보며 말했다.

"저 산이 붓처럼 생겼다 해서 문필봉(文筆峰)이라 해요. 그래서 이 집에선 대대로 학자들이 나왔다고 하더군요. 미국으로 유학 간 아들도 강릉에서는 천재로 불렸대요."

수희가 설명했다.

"천재가 돼서 고향을 떠날 수밖에 없었군. 우리 여기 와서 세미나 한번 하세. 하룻밤 묵으면서 말이야."

총장이 제안하자 모두 그러자고 좋아했다.

"저쪽 누마루까지 얼른 둘러보시고 안으로 가시죠. 보살님이 기다리고 계실 거 같은데요."

수희가 앞장서자 모두 누마루로 갔다.

"여긴 완전히 다른 분위기군요. 이 마루에 앉아 연꽃이 핀 연못을 바라보면서 시 한 수를 지었으면 좋겠습니다."

노 기자가 들뜬 음성으로 말했다. 방 한 칸 크기의 네모반듯한 누마루가 있고 그 둘레로는 난간이 쳐져 있었다.

"저는 노래를 부르고 싶은데요. 지금도 노래를 부르고 싶어 목이 간질간질합니다."

손 교수 말을 듣고 모두 웃었다. 세미나를 열고 싶다는 총장, 시를 짓고 싶다는 문화부 기자, 노래를 부르고 싶다는 성악가, 직업은 역시 속일 수 없는 거라고 한마디씩 하면서였다.

사랑채를 둘러본 일행은 안으로 들어왔다. 정지로 불렸을 큰 부엌이 현대식 주방으로 바뀌었을 뿐 모든 것은 제 자리를 지키고 있었다. 안방, 대청마루, 건넌방, 상방. 바닥은 들기름에 전 노르스름한 장판이 깔려 있고 벽은 때가 타지 않는 보라색 계열의 벽지가 발려 있었다.

"정말 좋습니다. 고향집에 온 거 같군요."

총장이 미소 지으며 집을 둘러보았다.

"마루와 기둥에 전 때를 벗기는 데 시간이 많이 걸렸습니다."

상지 보살이 설명했다.

"그래서 나무가 깨끗하군요. 집을 비워둔 지 오래됐습니까?"

"제가 여기로 온 지가 20년이 넘었으니 그만큼 비어 있었다고 보면 되겠네요."

"수리하시느라 고생하셨습니다. 큰 집인데요."

"감독을 잘 만나 편하게 했습니다. 어서 자리에 앉으시죠. 향산 댁이 만두를 언제 솥에 넣어야 하나 하고 아까부터 마음을 졸이고 있습니다."

"그렇습니까? 얼른 앉게."

총장 말을 듣고 모두 웃으며 자리에 앉았다.

"제가 꿈꾸던 집입니다. 여기서 그냥 살았으면 좋겠습니다."

원해가 말했다.

"봄에 오시면 더 좋아하실 거예요. 집 둘레가 온통 과일나무예요. 앵두나무, 살구나무, 자두나무, 매실나무, 또 뭐가 있지요?"

수희가 상지 보살을 보고 묻자

"그만하셔도 충분히 배가 부릅니다. 제가 봄에 와서 두 눈으로 둘러보겠습니다."

"강 군뿐 아니라 저도 봄에 오면 여기부터 들를 거 같습니다. 앞으로 이 집을 어떻게 사용하실 겁니까?"

"고향을 그리워하는 사람들에게 고향을 만들어 주려고요. 특히 북쪽에서 온 분들한테요."

"고향을 만들어 준다면 구체적으로 어떻게 하실 예정이신데요?"

"고향은 본인들이 만들어 가는 거니까 저는 그냥 여기 와서 고향 음식을 마음껏 만들어 먹을 수 있게 재료만 대 주려고 해요. 쌀과 부식을 준비해 놓으면 누구나 와서 만들고 싶은 고향 음식을 만들어 먹게요. 특별한 재료는 미리 주문하면 준비해 놓도록 하려고요."

"좋은 생각이십니다. 고향 하면 제일 먼저 떠오르는 게 음식인데 가족끼리 친구끼리 와서 고향에서 먹던 음식을 마음껏 해 먹을 수 있다면 정말 행복할 거 같습니다. 그것도 본인들로서는 부담스러워 쉽게 구하지 못했던 식자재를 누군가 옆에서 사 준다면 말입니다."

"여기 예약을 하려면 미리 신청해야겠군요. 남쪽에서 태어난 사람은 안 됩니까?"

노 기자가 물었다.

"남쪽이 고향인 분도 찾아갈 고향이 없는 분은 오면 되지요. 여긴 누구에게든 고향이 될 수 있는 곳이니까요."

"이렇게 좋은 집이 고향집인 사람이 몇이나 되겠어요. 저는 부모님을 따라 계절이 바뀔 때마다 한 번씩 잘 꾸며진 펜션을 가는데 거기 가서 하루나 이틀을 묵으면 그 집이 우리 집 같이 느껴져요. 일종의 대리 만족이죠. 많은 사람도 이 집에 와서 그런 감정을 느낄 거 같아요."

혜륜이 말했다.

"그럴 거 같네요. 우선 저부터 그럴 거 같은데요. 언제부터 집을 내주려고 하십니까?"

원해가 물었다.

"구정 지나고부터 바로요. 그 안에 아랫마을에 계신 분들을 초대해서 북한 음식을 한번 대접하려고 해요. 아랫마을엔 아직 이 댁 친척 되는 분들이 많이 있으므로 그분들의 양해를 구하는 의미에서도 그 과정은 필요할 거 같아서요."

상지 보살의 설명을 듣고 모두 보살의 사려 깊음에 경의를 표했다.

"극락은 원을 세우면 만들 수 있군요. 보살님처럼요."

"총장님도 극락을 만들고 계시잖아요. 마음속 극락을요."

"저는 아직 멀었습니다."

두 사람의 대화를 듣고 있던 수희가 자리에서 일어났다.

"이제 만두를 넣으라고 할 시간이 된 거 같네요. 제가 가서 만두를 넣으라고 하겠습니다."

"묘향산 부근의 만두 맛을 보다니 가슴이 설렙니다. 저야말로 고향에 온 거 같습니다."

향산의 말을 듣고 모두 머리를 끄덕였다. 극락은 찾아가는 게 아니라 상지 보살처럼 현장에서 만들어 가는 거란 생각을 하면서.

"노 기자님이 웬일이세요? 연락도 없이요."

비서가 눈을 크게 뜨며 맞았다.

"출판사에 들렀다가 총장님을 뵙고 싶어 왔습니다. 뵐 수 있으면 뵙게 해 주십시오."

"잠시만 기다리세요. 제가 여쭈어볼게요."

비서가 안으로 들어갔다. 노 기자가 서성이고 있을 때 비서가 밝은 얼굴로 나왔다.

"들어오시랍니다. 지금 강 박사님과 얘기 중이십니다."

"아, 그래요. 잘됐군요."

노 기자가 안으로 들어갔다.

"자네가 웬일인가? 약속도 하지 않고."

"출판사에 왔다가 총장님을 뵙고 싶어 왔습니다. 마음이 허전해 그냥 회사로 들어갈 수 없었습니다."

"마음이 허전할 때 나를 찾고 싶었다니 고맙네. 앉게."

"이쪽에 앉으십시오. 예고 없이 만나니 저도 반가운데요."

원해가 옆으로 나 앉으며 앉을 자리를 마련해 주었다.

"저도 그렇습니다."

노 기자가 메고 있던 가방을 놓으며 자리에 앉았다. 그때 비서가 차를 들고 와서 노 기자 앞에 놓아주었다.

"자네를 허전하게 한 게 뭐였는가? 말로 설명할 수 있으면 해 보게."

"출판사 사람들과 한 시간 정도 얘기를 나눴는데 그들의 머리는 돈을 벌 수 있는 책을 어떻게 기획해서 독자들의 호주머니를 터는가에 맞춰져 있었습니다. 그러니까 돈을 벌 수 없는 책은 이미 그들에게 있어선 책이 될 수 없는 것이지요. 꽤 괜찮은 출판사로 정평이 나 있는 출판산데 말입니다. 출판사를 나와 거리에 섰는데 시베리아 벌판에 혼자 서 있는 거처럼 황량한 바람이 가슴속에서 불더군요. 그 순간 총장님이 보고 싶어졌습니다."

노 기자 눈시울이 붉어졌다.

"자네가 말한 그게 지금 우리가 살고 있는 세상이네."

"그런 세상에 살면서 〈따뜻한 우리, 참다운 대한민국〉이 가능할까요?"

"가능하다고 생각하면서 노력하는 거지. 그렇다고 노력마

저 하지 않아서야 되겠나?"

"아닙니다. 그래서는 안 됩니다."

노 기자는 잠시 생각에 잠기다가 이렇게 물었다.

"총장님은 왜 하필이면 통일 대한민국이 보고 싶으십니까? 별로 가능해 보이지도 않는 일인데요."

"그래야만 한반도에 사는 국민들이 안전하게 살 수 있으니까."

"제가 생각하기엔 통일이 되면 국민들이 더 고초를 겪을 거 같습니다. 오늘날 대한민국을 보고 있으면 더욱 그런 생각이 듭니다. 같은 땅에 태어나 같은 환경에서 같은 교육을 받으며 살아온 대한민국 국민들도 양극으로 갈라져 서로 핏대를 올리며 삿대질을 하는데 다른 환경에서 다른 사상을 교육받은 사람들이 같은 국민이 되면 어떻겠습니까? 상상만 해도 머리가 아픕니다."

"지금 우리가 이념으로 갈라진 것도 통일을 이루지 못했기 때문이네. 그러므로 어떤 대가를 치르더라도 반드시 통일을 이루어야 하네. 그렇지 않으면…."

총장은 생각에 잠기며 천천히 머리를 저었다.

"…."

노 기자와 원해가 그런 총장을 가만히 바라봤다.

"그러지 않으면 인신매매단에 팔려 가는 탈북 여성들이

계속 이어지게 될 걸세. 현재도 8만 명에 달하는 탈북 여성들이 중국 땅에서 목숨을 유지하고 있다네. 이런 사실을 알고 어떻게 통일에 관심을 가지지 않을 수 있겠나?"

총장 목소리가 떨렸다.

"원력보다 더 무서운 힘은 없는 거 같습니다. 저도 통일에 대한 기대를 가지고 다방면에 걸쳐 취재해 왔는데 쉽게 회의에 빠져드는 걸 보면 말입니다. 총장님을 보면서 원력이란 말을 다시 떠올리게 됩니다."

"그건 노 기자가 북한 실상을 통해 받은 충격이 나보다 약해서 그럴 거야. 우리 학교는 다른 학교에 비해 탈북대학생들이 비교적 많은 편이네. 나는 그들과 대화 시간을 가지려고 노력하는데 그 과정에서 인신매매단에 팔려 갔다 온 여학생과 장시간 얘기를 나누게 되었네. 그러면서 말로만 듣던 인신매매단에 팔려 간 북한 여성들이 어떤 실태에 놓여 있는가를 알게 되었지. 그 사실을 알면서 통일 대한민국을 보는 게 내 꿈이 되었네."

"그 여학생은 어떻게 되었습니까?"

"강 박사한테 물어보게. 강 박사가 잘 아네."

"지금 대기업에 취직해서 회사에 잘 다니고 있습니다. 총장님 주선으로 우리 학교엔 탈북학생들을 돕기 위한 영어 회화 동아리가 만들어져 있습니다. 탈북대학생들이 가장 힘들어하는 게 영어기 때문입니다. 그래서 현지인을 강사로 초빙해서 회화를 배우게 하는데 그 동아리에서 총장님이 말씀하신 여학생 성적이 가장 좋았습니다. 4년간 죽을힘을 다해 공부한 그 여학생은 본인 실력으로 대기업에 공채로 들어갔지요."

"하면 되고, 하게 하면 되는군요. 통일도 그렇게 하면 되겠군요."

"그럴 수 있다고 믿어 보세. 한 사람이 믿는 것보다 천 사람, 만 사람이 믿으면 훨씬 더 큰 에너지가 발생하지 않겠나? 나는 그 에너지가 정치인들의 머릿속이 아니라 국민들의 가슴속에서 터져 나왔으면 좋겠다고 발원하고 있네."

"제가 생각하기에 통일이 된다 해도 혼란이 100년은 갈 거 같은데요."

"그럴 수도 있고 그렇지 않을 수도 있겠지. 그 안에서 사는 사람들이 어떻게 하느냐에 따라서. 우리가 하는 노력도 그 혼란을 줄이려는 게 아니겠나?"

"총장님 말씀을 듣고 나니 다시 힘이 납니다. 제가 여기로 달려온 건 총장님한테서 힘을 얻고 싶어서였는지도 모르겠습니다."

"고맙네. 나도 현실을 목격할 때마다 절망할 때가 수없이 많네. 그럴 때마다 자네들을 보면서 힘을 얻지. 자네들이 나한테서 힘을 얻듯이 말일세. 그런 의미에서 우린 좋은 친구

선우네."

"통일 얘기가 나왔으니 저도 한 가지 질문을 드리겠습니다. 우리가 정말 통일을 할 수 있기는 있는 겁니까?"

원해가 진지한 얼굴로 질문했다.

"통일 후의 세상을 이끌어 갈 사상을 연구하는 사람이 통일 자체에 대해 회의를 하고 있다니?"

"너무 막연해서 그렇습니다."

"그럴 때 절망하지 않는 게 보살일세. 보살은 어떤 시련 앞에서도 절망하지 않네. 그건 그렇고 질문을 받았으니 답을 하겠네. 나는 우리나라가 반드시 통일이 되리라 믿네. 앞으로 20년 안에, 좀 앞당긴다면 4, 5년 정도는 당겨질 수 있겠지."

"지금 총장님은 20년 안에 통일이 된다고 하셨는데 통일 후의 대한민국은 어떤 모습일까요?"

"문화와 사상을 선도해 가는 선진국이 될 걸세. 아까 노 기자가 출판사 얘기를 했는데 지금까지 세상을 선도해 온 힘은 물질이었네. 그래서 정신보다는 물질을 우위의 가치에 두었지. 하지만 앞으로의 시대는 정신을 우위에 두는 문화의 시대로 바뀌게 될 걸세."

"…."

"그때가 되면 우리나라의 위상도 크게 향상될 걸세. 먼저 문화가 그 역할을 하게 되는데 스포츠 음악 대중예술 영화 문학 등 다양한 분야에서 전에는 상상도 하지 못했던 두각을 이미 드러내고 있지 않은가? 문화가 이렇게 선도적인 역할을 하면 그 뒤를 이어 세계를 이끌어 갈 사상이 우리 안에서 창출되게 되네. 그 일에 우리도 힘을 보태자는 것일세."

"그 일이 통일과 맞물려서 오는가요?"

"그러리라고 보네. 양대 진영의 이데올로기가 한반도에서 마지막 대립각을 세우다 소멸되고 나면 어쩔 수 없이 양 진영에서 쏟아 낸 폐기물이 한반도를 뒤덮을 수밖에 없네. 그 시점이 지금이네. 이 시점을 잘 넘기고 나면 우리 안에서 세계를 주도해 갈 문화와 사상이 나오고 그 힘으로 우리는 세계 속에서 우뚝 설 수 있네."

"그때는 어떤 사람이 지도자가 됩니까?"

"청렴결백한 사람이 되겠지. 정직하지 않으면 미래엔 지도자가 될 수 없네."

"총장님께 드린 질문은 오늘이 마지막입니다. 앞으로는 절대 같은 질문을 드리지 않겠습니다."

노 기자가 용서를 구하는 마음을 담아 말했다.

"고맙네. 자네들이 있어서."

"제가 한 가지만 더 여쭤보겠습니다. 〈따뜻한 우리, 참다운 대한민국〉에서 참답다는 말을 어떻게 해석하면 좋겠습니까?"

원해가 물었다.

"참답다는 말의 사전적 뜻은 무엇인가?"

"진실하다가 아닙니까?"

"모든 관계의 근간은 무엇인가?"

"그건 진실이겠지요."

"신뢰와 존경의 바탕은 무엇인가?"

"그것도 진실이겠지요."

"외형적으로 아무리 많은 걸 누리고 있어도 신뢰와 존경을 받을 수 없다면 무슨 의미가 있겠나. 그건 개인이나 국가나 다 마찬가질세. 세계를 제패한 강대국이라도 조소의 대상이 되고 증오의 대상이 된다면 처참하지 않겠나? 그 의미를 다시 한 번 새겨 보세."

"그러겠습니다."

"옳다고 믿는 길을 그냥 가고 있을 뿐이네. 혼자가 아니라 모두 함께 가는 거. 그게 내 삶이네."

총장이 나직이 말하며 두 사람을 바라보았다. 두 사람은 총장의 시선을 받으며 속으로 이렇게 말하고 있었다. '저분도 자신의 고독과 싸우고 있구나!'

13

고단한 삶

"대학교에 입학했을 때 아버지가 나를 데리고 양식집에 가서 비프스테이크를 처음 사 주셨어. 비프스테이크와의 첫 만남이었지."

엄마가 아련한 추억에 젖으며 말했다. 그러자 딸과 가정교사가 동시에 놀라며 쳐다봤다. 두 사람의 시선을 받은 엄마는 아차! 하는 표정으로 화제를 돌렸다.

"아버지에게 목표했던 땅을 사 드렸어?"

엄마가 물었다.

"아니요."

과외선생이 답했다.

"그런데 왜 과외를 그만두려 해?"

"목표가 사라져서요. 복수하려던 영감님이 며칠 전에 돌아가셨어요."

"그래도 땅을 사는 게 목표였으면 땅을 사야 하는 거 아닌가?"

"제가 땅을 사려고 한 건 그 영감님한테 복수하기 위해선데 복수할 대상이 사라졌는데 땅은 사서 뭘 해요."

"땅을 사서 아버지한테 드리기로 했잖아? 목표했던 대로 땅을 사서 아버지한테 드리면 되잖아."

"그렇게 많은 땅을 아버지한테 드리면 아버지가 어쩌시라고요? 아버지도 이젠 늙으셔서 농사를 짓지 못하셔요."

"난 좀 헷갈리네. 무슨 말인지."

"여사님이 헷갈리시니 저는 얼마나 헷갈리겠어요? 고속으로 질주하다 바위에 꽝하고 이마를 박은 기분이에요."

"호호호. 표현이 재미있네. 그래 앞으로 뭘 하려고?"

"좀 쉬려고요. 쉬면서 생각해 보려고요. 유학을 갔다 오든가 아니면 사업을 하든가, 쉬면서 앞으로 할 일을 찾아보려고 해요."

"그런 걸 할 만큼 돈을 가지고 있어?"

"네. 둘 중 하나를 할 만큼은 충분해요. 과외로 번 돈이 주식으로 새끼를 쳐서 하고 싶은 일은 할 수 있어요."

"생각보다 무서운 사람이네. 유학을 가면 어디로 가려고?"

"가게 되면 생각해 봐야죠. 아직은 깊이 생각해 본 적이 없어요."

"그런 건 중요한 일이니까 미리미리 생각해 놔야지. 나도 우리 후 유학 보내려고 길을 닦고 있어."

"어디로 보내시려고요?"

"아직은 미정이야. 박사님 얘기도 더 들어 보고."

"박사님이라니요. 잘 아시는 박사님이 계세요?"

"응. D 대학 총장님."

"D 대학 총장님과 가까우세요?"

"각별하게 날 아껴 주시니까 가깝다고 할 수 있겠지."

윤설화 얼굴에 자만심이 피어오른다. 돈 앞에 장사 있어? 있으면 나오라고 해 봐.

그때 주문한 음식이 테이블 위로 옮겨졌다.

"안심스테이크야. 이 호텔 스테이크가 젤 맛있으니까 맛있게 먹어."

설화가 냅킨을 펴서 무릎 위에 덮었다. 그러자 후도 따라했다.

"안 선생은 양친이 다 계셔?"

설화가 고기를 썰며 물었다.

"엄마는 제가 대학교 1학년 때 돌아가시고 아버지만 계세요."

민희도 고기를 썰며 대답했다.

"나하고 반대네. 난 아버지가 대학교 1학년 때 돌아가셨는데. 지금처럼 한겨울에. 내가 임신… 고기를 조금 더 익혀 달라고 해야겠네. 오늘은 왜 이렇게 설익혔지."

설화가 당황해하며 접시를 내려다봤다. 그런 설화를 후는 주의 깊게 바라봤다. 실수를 만회하려고 핑곗거리를 찾는다고 생각하면서.

"고기를 조금 더 익혀 달라고 할까요?"

민희가 물었다.

"그냥 먹을게. 오늘은 내가 입맛이 없나 봐."

세 사람은 고기를 썰어 입에 넣으며 식사했다. 가능한 한 멋지게 보이려고 신경 쓰면서.

오늘이 아버지 기일이라는 걸 안 건 호텔에 들어서면서였다. 설화는 잠시 아버지 모습을 떠올리다가 고개를 저었다. 애들 앞에서 또 실수를 할지 모른다고 생각하면서.

"여사님은 앞으로 어떤 일을 하면서 살고 싶으세요?"

"후를 멋지게 키우는 거. 그게 내 인생 목표야."

"그 일도 중요하지만 후는 따님이잖아요. 제 생각엔 여사님 인생이 더 중요할 거 같은데요."

"그 일이 내 인생이라니까."

설화 말을 듣는 순간 후는 엄마가 자신에게 집착하는 게 엄마 자신을 위한 것임을 알았다. 그러자 묘한 기분이 들었다.

"후는 좋겠네. 모든 걸 던져서 후원해 주시는 엄마가 계셔서."

민희가 고개를 돌려 후를 보며 생긋 웃었다.

"선생님은 그런 엄마가 계시지 않았어요?"

"난 잘 모르겠어. 엄마한테 받았다는 기억이 별로 없어. 내가 어려서부터 공부를 잘하니까 군에서 장학금을 줬어. 인재 양성 장학금이었지. 중학교에 입학하면서부터 그 장학금을 받아 공부했고 대학교에 와서는 내가 아르바이트를 해서 오히려 집에 돈을 보내 드렸으니까."

"듣고 보니 정말 안 선생 부모님은 똑똑한 따님을 공짜로 키웠네."

설화가 나이프를 접시 위에 놓고 냅킨으로 입술을 닦았다.

"듣고 보니 선생님 부모님은 양쪽 다 따님을 버리지는 않았군요."

후도 나이프를 접시 위에 놓고 냅킨으로 입술을 닦았다.

"그게 무슨 말이야? 양쪽 다 딸을 버리지 않았다니."

민희도 나이프를 접시 위에 놓고 냅킨으로 입술을 닦으며 물었다.

"아니요. 제가 한 말에 신경 쓰실 거 없어요."

후가 민희 쪽으로 고개를 돌리며 생긋 웃었다. 저놈의 계집애, 오늘도 내 가슴에 기어이 대못을 치고 마는군! 씁쓸한 표정을 짓고 있는 설화 얼굴이 황량하게 보였다.

비즈니스로 사람을 만나야 한다는 핑계를 대고 두 아이를 보낸 설화는 커피숍으로 들어갔다. 창가에 자리를 잡고 앉은 설화는 커피를 시켰다. "진하게, 아주 진하게요." 오늘이 아버지 기일임을 상기하던 설화는 쓸쓸한 표정을 지었다. 바에 가서 술을 마실걸, 잘못 왔다는 생각이 들었다. 그때 주문한 커피가 왔다. 설화는 앞에 놓인 커피잔을 내려다보았다. 자신이 주문한 대로 진하게 뽑은 거 같았다. 설화는 천천히 커피잔을 들어 한 모금 마셨다. 그러면서 쓸쓸하게 잎을 떨구고 서 있는 나무들을 바라보았다. 설화가 아버지가 돌아가셨음을 안 건 텔레비전 화면을 통해서였다. 집을 나온 설화가 만삭이 돼서 지하방에 처박혀 있을 때 조그만 텔레비전 화면에 아버지 모습이 비쳤다. Z 물산 윤동욱 회장이 뇌내출혈로 갑자기 쓰러져 사망했다는 설명과 함께 아버지의 웃는 얼굴이 화면에 비쳤다. 그때의 충격! 자신이 아버지를 죽게 했다고 판단한 설화는 아버지가 있는 병원 영안실로 달려갔다. 복도를 가득 메운 화환과 함께 검은 옷을 입은 사람들이 분주히 움직이고 있었다. 설화는 아버지 영정 앞에 무릎을 꿇어야 한다는 한 생각에 앞뒤를 가리지 않고 복도로 뛰어들어 갔다.

그럴 때 누군가가 설화 어깨를 낚아챘다. 설화가 고개를 들었을 때 핏발선 엄마의 시선이 설화 시선을 찍어 눌렀다. '개만도 못한 년, 네가 사람이냐? 다시는 내 앞에 나타나지 마!' 엄마는 시퍼런 절교의 한 마디를 남기고 복도 안으로 사라졌다. 그때서야 제정신이 든 설화는 도망치듯 밖으로 나왔다. 십수 년 전의 자신 모습을 떠올리던 설화는 두 눈을 꽉 감았다. 꼭 한 번 피를 토하며 울고 싶은데 그러지를 못하고 있다. 그래서 가슴속엔 회한의 선지피가 그대로 고여 있다. 내가 울지 못하는 건 받아 주는 사람이 없어서일까? 혼자 자문하던 설화는 고개를 숙였다. 답을 알 수가 없었다. 커피를 다시 한 모금 마시며 창밖을 보고 있던 설화 머릿속에 한 가지 의문이 떠올랐다. 복도 초입에서 어떻게 엄마를 만나게 되었을까? 자신이 나타나기를 기다리고 있었던 건 아니었을 거고 화장실을 다녀오는 길이었겠지. 머릿속에 떠오르는 의문을 정리하던 설화는 갑자기 가슴을 움켜쥐며 아! 하고 탄식했다. '나를 더 처참하게 하지 않으시려고 아버지가 꾸미신 거야. 만약 그때 내가 아버지 영안실로 뛰어들었다면 어떤 광경이 벌어졌을까?' 설화는 세차게 고개를 저었다. 상상하고 싶지 않았다. 한참 동안 눈을 감고 있던 설화는 시계를 보았다. 3시 15분. 설화는 아버지가 계신 산소를 떠올려 보다 고개를 저었다. 아직은 때가 아니야. 후를, 후를 훌륭히 키운 후 그때 가야지. 아버지가 내게 기대하셨던 모습을 보여드릴 수 있을 때 그때 가야지. 설화는 입술을 꽉 깨물며 다짐했다.

지하 주차장에 차를 세운 손 교수는 엘리베이터를 타고 17층 버튼을 눌렀다. 엘리베이터는 지하 3층부터 시작해 1층까지 왔음을 알려 주었다. 1층 문이 열리고 사람들이 타려 하자 손 교수는 얼른 밖으로 나왔다. 현관을 지나 부지런히 걸음을 옮겼다. 뒤에서 잡으러 오는 사람에게 잡히지 않으려는 사람처럼. 얼마큼 그렇게 걷던 손 교수는 자신이 도망쳐 온 아파트를 바라보았다. 불룩해진 배를 더욱 불룩하게 보이려 애쓰는 아내와 속사포처럼 불만을 퍼부어 대는 장모가 그 안에 있다고 생각하자 손 교수는 다리에 힘이 쫙 빠지면서 어딘가에 주저앉고 싶어졌다. 어디로 갈까? 갈 곳을 찾던 손 교수 머릿속에 〈마음의 정원〉이 떠올랐다. 〈마음의 정원〉은 정원을 실내로 끌어들인 구조로 차와 식사가 가능한 집이었다. 택시를 탈까 하던 손 교수는 그냥 걷기로 했다. 버스로 한 정거장 거리니 걸어도 무방할 거 같았다. 겨울 코트 속에 몸을 잔뜩 움츠린 사람들이 부지런히 오가는 거리를 손 교수도 같은 모습으로 목적지를 향해 걸음을 옮겼다. 아내 배는 이제 누가 봐도 임신했다는 걸 알 만큼 불룩해졌다. 그런데 남편으로 호칭되는 자신은 그 사실을 모르는 사람처럼 행동하고 있다. 아는 체를 할 수 없어서였다. 그런 자신을 아내는 눈치를 보면서, 장모는 노골적으로 불만을 드러내고 있었다. 어떻게든 현실을 직시하고 뭔가 조치를 취해야겠는데 조치를 취하는 일이 미로 같아 갈피를 잡을 수 없었다.

손 교수가 혼란을 느끼고 있는 건 자신이 어떤 태도를 취해야 하는지 판단이 서지 않아서였다. 아내와 장모의 기획을 모른 척하고 따라 주느냐, 아니면 기획한 사실을 알고 있음을 밝히느냐, 이 둘 중 하나를 택해야 하는데 어느 쪽을 택해야 할지 판단이 서지 않았다. 앞쪽을 택하면 결혼 생활은 유지될 수 있을 것이다. 최소한 외양으로는. 그리고 가족 구성원도 각자의 자리에서 적당히 보조를 맞추며 살아가게 될 것이다. 하지만 그건 가면을 쓰고 연극을 하는 것과 같다. 그런 연극을 일생 동안 해야 하다니! 그게 인생이 되어야 하다니! 또 하나의 방법, 그건 관계의 전모를 밝히는 것이다. 자신이 정관수술을 했다는 사실을 밝히고 아이가 자신의 아이가 아님을 밝히는 것이다. 그 모든 걸 밝히고 나면 결혼 생활은 유지될 수 없다. 가족이라고 일컫던 구성체는 해체되고 만다. 그 후에 벌어질 일들을 생각하면 너무도 머리가 아팠다. 아내가 연극을 꾸민 것도 나와 함께 살기 위해서다. 내 마음을 더욱

단단히 붙들어 매서 가장의 자리를 지키게 하기 위해서다. 그 사실을 알면서 가정을 해체하는 게 과연 옳은 방법인가? 그리고 아이는? 그 생명은 어떻게 이해하고 받아들여야 하나? 손 교수는 풀어야 할 난수표를 들여다보고 있는 거 같아 너무도 괴로웠다. 그런 중에서도 나아갈 방향을 제시해 주는 유일한 단추는 상지 보살이 한 말이었다. '아내 되시는 분이 고마움을 느끼게 하세요. 고마움 안에는 미안함이 포함돼 있어요. 그러려면 순간순간 지혜로워져야 해요.' 상지 보살이 한 말을 상기하던 손 교수는 천천히 머리를 끄덕였다. 최소한 아내와 헤어지지 않는 선에서 문제를 풀어 가야 한다는 결론에 도달하면서다.

〈마음의 정원〉 안에 들어선 손 교수는 잠시 멍한 얼굴로 주위를 둘러보았다. 별천지라는 말이 정확히 실감 났다. 을씨년스러운 바깥 풍경과는 달리 실내는 작은 낙원이었다. 열대식물로 추정되는 나무와 넝쿨들이 적당히 자리 잡은 가운데 붉은색의 꽃과 노란색의 꽃들이 만개해 있었다. 손 교수는 레스토랑으로 들어가 값을 지급하고 뜨거운 커피 한 잔을 받아 들었다. 그리고 앉을 자리를 찾다가 마땅치 않아 밖으로 나왔다. 푸른 식물들이 넝쿨져 있는 오솔길을 걷다 보니 벤치 두 개가 마주 보고 있는 쉼터가 나왔다. 벤치에 앉아 편안히 쉬며 주위 정경을 둘러보게 만든 장소였다. 한겨울임에도 꾸며진 계곡 바위 위로 제법 많은 양의 물이 흘러내리고 있었다. 손 교수는 빈 벤치에 앉아 흐르는 계곡물을 내려다보았다. 그때 대학생들로 보이는 젊은 여성 둘이 맞은편 벤치에 와 앉으며 리시버를 나눠서 귀에 꽂았다. 음악을 감상하는 거 같았다. 여대생들을 바라보던 손 교수는 혜륜이 보고 싶어 시계를 들여다봤다. 꼬맹이를 불러내기에 늦은 시간은 아니지만 선뜻 행동에 옮겨지지 않았다. 손 교수는 쓸쓸해지려는 마음을 달래며 들고 있던 커피를 한 모금 마셨다. 그때 맞은 편 자리에 앉아 있던 여대생이 가방에서 손수건을 꺼내는 순간 립스틱이 튀어나와 손 교수 발밑으로 데구루루 굴러왔다. 놀란 손 교수가 얼른 립스틱을 집어 들었을 때 당황한 여대생이 손 교수 앞으로 와 립스틱을 받아 들었다. '죄송합니다.' 하는 인사와 함께.

그 와중에 귀에 꽂았던 리시버가 뽑히고 노랫소리가 크게 울렸다. 손 교수 자신이 부른 슈베르트의 '겨울 나그네'였다. 빌헬름 밀러의 연작시에 곡을 붙인 가곡으로 사랑에 상처받은 사나이가 나그네가 되어 쓸쓸한 설경 속을 헤매는 광경을 그리고 있는 노래였다. 미소를 지으며 자신의 노래를 듣고 있던 손 교수가 이제 '보리수'가 나올 때가 됐다고 생각하고 있을 때 여대생이 다시 리시버를 귀에 꽂으려 했다.

"미안하지만 잠시 후에 리시버를 꽂으면 안 될까요? 이제

곧 '보리수'가 나올 텐데요. 오늘은 나도 '보리수'가 듣고 싶군요."

손 교수 청을 들은 여대생이 의아한 표정을 지었다. 그때 '보리수'가 흘러나왔다.

> 성문 앞 우물곁에 서 있는 보리수
> 나는 그 그늘 아래 단꿈을 꾸었네
> . . . .

손 교수가 흘러나오는 노래에 맞춰 '보리수'를 따라 불렀다. 그러자 맞은 편 여대생뿐 아니라 가까이 있던 사람들이 다가와 노래를 들었다. 삽시간에 작은 음악회가 만들어졌다.

"너무 좋아요. 선생님. 한 곡만 더 불러 주세요."

여대생이 간청했다. 그러자 모여 있던 사람들도 박수를 치며 같은 말로 간청했다.

"제가 슈베르트의 '세레나데'를 부를 테니 아시는 분은 따라 부르십시오."

모여든 사람들은 웃음과 박수로 손 교수 말에 화답했다. '세레나데'는 합창으로 끝났다. 박수 소리가 터지고 더 많은 사람이 모여들었다. '세레나데'에 이어 '아베마리아'도 합창으로 불렀다. 분위기가 고조에 이르렀을 때 손 교수는 '송어'

와 '마왕'을 원어로 불렀다. 슈베르트의 대표 가곡을 다 부른 작은 음악회가 〈마음의 정원〉에서 열렸다. 그날 밤 유튜브와 SNS에 이런 글들이 올랐다. '손지운 교수 거리 악사로 변신, 팬들과 혼연일체의 행복감 만끽'

아침부터 내리던 눈은 점점 더 그 양을 더해 가다 점심때가 되자 폭설로 바뀌었다. 학교에 와서 전학 수속을 마친 수희는 상진이를 차에 태우고 시동을 걸었다. 눈이 많이 쌓이기 전에 빨리 집으로 돌아가야겠다고 생각하면서다. 그때 옆에 앉았던 상진이가 고개를 돌리며 말했다.

"엄마, 자장면 먹고 가요. 배고파요."

"배 많이 고파?"

"네."

수희는 미소 지으며 상진이를 돌아봤다. 무심도인이라고 하던 상지 보살 말이 생각나서였다. 상지 보살은 상진이가 그린 그림을 보여 주며 '무심도인 그림이야. 좋지?' 하고 물었다. 상지 보살한테 그림을 배우러 오는 사람들 속에 섞여 상진이도 그림을 그리기 시작했다. 약초 밑에 참새 세 마리가 앉아 씨앗을 주워 먹고 있는 상진이 그림을 보고 상지 보살이 한 말이다. 그 그림이 왜 무심도인의 그림인지는 모르지만 상지 보살이 그렇게 말했으니 그럴 것이다.

"그럼 얼른 자장면 먹고 빨리 가자."

수희는 중국집 쪽으로 차를 돌리고 조심해서 운전했다. 눈이 많이 오긴 하지만 날씨가 포근해 눈은 오는 대로 바로 녹았다. 운전을 하는 데 크게 부담을 주진 않았다. 평소 알고 있던 중국집 앞에 차를 세운 수희는 시동을 끄고 차에서 내렸다. 그러자 상진이도 따라 내렸다.

"들어가자."

수희가 앞장을 서고 상진이가 뒤를 따랐다. 두 사람은 창가에 자리를 잡고 앉았다.

"오늘은 상진이가 전학 수속을 마친 날이니 맛있는 거 먹자. 뭐 먹을까?"

"자장면이요."

"그럼 자장면하고 탕수육 먹을까?"

"네."

음식을 주문하고 난 수희는 가만히 상진이를 바라봤다. 천진난만하다 할까? 순진무구하다 할까? 한 번도 비바람을 맞아 본 적이 없는 소년처럼 해맑은 표정을 짓고 있었다. 양순하지만 존재감을 드러내지 못하고 쭈뼛거리던 옛날 모습은 어디에도 없었다. 불과 한 달여 만에 한 생명을 저렇게 변모

시켜 놓다니! 상지 보살이 지니고 있는 무궁한 힘에 저절로 고개가 숙여졌다.

"상진아, 이 상 위에 손 올려놔 봐."

수희가 웃으며 손을 올려놓으라 하자

"네?"

상진이가 말귀를 알아듣지 못하고 되물었다.

"할머니도 네 손을 보자고 하셨잖아."

"아! 네."

상진이가 두 손을 쫙 펴서 탁자 위에 올려놓았다.

"정말 네 손은 할머니 손 닮았구나. 손가락이 길고 끝이 부처님 손가락처럼 살짝 위로 올라간 게."

수희가 감탄하자 상진이는 흐뭇한 표정을 지었다. 할머니를 닮았다는 말이 기분 좋은 모양이다.

"할머니한테 그림 배우니까 좋아?"

"네."

"할머니하고 생활하는 건 불편하지 않아?"

"아니요."

"할머니하고 넌 특별한 인연이 있는 거 같다. 엄만 아직도 할머니가 어려운데."

"왜요?"

상진이가 눈을 크게 뜨며 쳐다봤다. 너무 높고 너무 큰 분이라서. 수희는 이 말을 하려다 입속으로 삼켰다. 그리고 넌 정말 복이 많구나. 한번 만나는 게 꿈인 사람들도 많은데 그 분을 독선생으로 모시고 먹고 자고 그림까지 배우고 있으니 말이야. 이 말도 하려다 입속으로 삼켰다. 그때 주문한 음식이 나왔다.

"오늘은 자장면이 더 맛있어 보인다. 기름이 자르르 흐르는 게."

수희가 젓가락을 들며 음식을 들여다보자

"엄마가 사 주시는 자장면은 언제나 맛있어요."

상진이도 젓가락으로 자장면을 저으며 말했다. 그 말을 듣는 순간 수희 머릿속에 서울 보육원에 가서 아이들한테 자장면을 사 줬던 일이 떠올랐다. 상진이는 그때 먹은 자장면 맛을 지금 기억하고 있는 거 같았다.

"상진아, 가지고 싶은 물건 있으면 말해 봐. 엄마가 전학 기념으로 사 줄게."

"없어요. 지금은 다 있는데요 뭐."

상진이가 자장면 젓가락을 입으로 옮기며 말했다. 상진이 입가는 자장면이 꺼멓게 묻어 있었다. 재가 무심도인이라고? 수희는 속으로 웃으며 탕수육 접시를 상진이 앞으로 밀어 주었다.

중국집을 나온 두 사람은 차에 올랐다. 눈은 많이 잦아들었지만 내린 눈이 녹아 길은 질펀한 검은 물로 덮여 있었다. 수희는 조심해서 차를 몰며 시내를 빠져나왔다. 30분 정도 달리니 법운사로 가는 팻말이 나왔다.

"다 왔다. 이제 우리 동네네."

수희가 팻말을 보며 말했다. 우리 동네, 정겹다. 같은 구성원이라 더욱 정겹다. 상진이는 수희가 한 말의 뜻을 아는지 모르는지 무심히 바깥 경치를 보고 있었다. 무심도인, 그래 넌 무심도인이지!

예경원에 도착한 수희는 차를 세워 놓고 상진이와 함께 예경원 안으로 들어갔다.

"할머니 기다리시겠다. 빨리 가자."

수희가 부지런히 걸음을 옮겼다. 그러자 상진이도 걸음을 빨리하며 따라왔다.

"어머니, 저희 왔어요."

수희가 현관문을 열며 큰 소리로 말했다. 그러자 소파에 앉아 신문을 보던 상지 보살이 고개를 들며 미소를 지었다.

"눈이 많이 와서 걱정했는데 괜찮았어?"

"바로 녹아서 괜찮았어요."

신을 벗은 두 사람이 소파에 와 마주 앉았다.

"상진인 학교가 마음에 들었어?"

"네."

상진이가 씩 웃었다. 씩 웃는 웃음 속엔 어리광이 녹아 있었다.

"상진이도 이젠 강릉중학교 학생이 됐네. 그렇지?"

"네."

상진이는 다시 한 번 씩 웃었다. 그런 상진이를 보고 미소 짓던 상지 보살이 읽던 신문을 펴 보이며 말했다.

"이 기사 흥미롭네. 미국 소설가 조너선 사프란 포어와 한 인터뷰 기산데 공장식 축산시설을 놔두면 코로나 같은 새로운 팬데믹이 계속 생긴다는 거야. 양계장 등 가축 축사에서 배출하는 온실가스가 전체 배출량의 적게는 14.5%, 많게는 51%래. 과학자의 측정방식에 따라 차이가 나는 모양이야. 그리고 지구 온난화를 억제하는 파리협약을 2050년에 달성한다 해도 그 안에 해수면 상승으로 뉴욕 등 전 세계 수십 개 대도시에 사람이 살 수 없게 된대. 그러면 1억 4천 300만가량의 기후난민이 발생한다는 거야. 그리고 동물의 절반, 식물의 종 60%가 절멸 위험에 처하게 된다는군."

"2050년 안이면 이미 코앞에 닥친 불 아니에요?"

"그렇지. 종말에 가까운 이 고비를 넘기려면 인간이 고기 먹는 양을 극도로 줄여야 한다고 주장하네. 공장식 축산시설은 사라져야 한다는 거야."

"물질을 쟁취하려는 탐욕이 결국 주범이군요."

"맛있는 걸 먹으려는 식탐도 공범이지."

"종말을 면하려면 탐욕을 줄여야 하는데 그게 가능할까요?"

"노력해 보는 거지. 우리처럼. 추수감사절에 칠면조 고기를 먹었느냐는 기자 질문에 작가는 이렇게 답했군. '안 먹었다. 나는 칠면조를 즐기지 않는 것을 즐겼다.'라고."

"…."

수희가 생각에 잠겨 있자

"아랫마을에 계신 할머니 한 분이 들기름 여섯 병을 들고 오셨어. 우리 주려고 들깨 한 말을 기름 짜셨다고 하면서."

"왜 그런 마음을 내셨죠?"

"북한 음식을 먹은 것에 대한 보답이겠지. 서로 음식을 대접하고 대접받으면서 마음의 통로를 열어 간다면 음식보다 더 좋은 마음도 교류되지 않겠어? 기름은 향산댁 한 병 주고 나머지는 윗집 냉장고에 넣어 놔."

"알겠습니다. 산나물 먹을 때 요긴하게 쓰겠네요."

"눈 속을 갔다 온 사람이 산나물 타령은…."

상지 보살이 눈을 흘겼다. 그 표정이 너무 정겨워 수희는 가슴이 뭉클해져 슬며시 고개를 돌렸다.

예경다원으로 돌아 온 수희는 세수를 하고 얼굴에 스킨과 로션을 발랐다. 그리고 머리에 묻은 물기를 수건으로 털며 의자에 와 앉았다. 탁자 위에는 편지함에서 가져온 송이 편지가 놓여 있었다. 이번엔 무슨 내용이지? 수희는 들고 있던 수건을 놓고 편지 겉봉을 뜯었다. 지난번에는 하루에 10개씩, 학교를 오고 갈 때 길에서 외운 영어단어가 마치 영수증처럼 100장이 들어 있는 편지를 보내왔었다. 하루에 10개씩 영어단어를 외우기 시작해서 100일 되는 날에 계획한 1,000개 단어를 다 외웠다고 자랑하면서다. 수희는 미소를 지으며 봉투 속에 든 편지를 꺼내 들었다.

> 엄마, 엄마한테 오늘 있었던 일을 얘기하지 않으면 잠을 잘 수도 공부를 할 수도 없을 거 같아 편지를 쓰고 있어요. 오늘 학교에서 돌아오는데 보육원 대문 밖에 있는 화단에 미랑이가 웅크리고 앉아 있었어요.
> 엄마도 미랑이를 기억하세요? 많이 야위고 말을 하지 않는 아이 말이에요. 초등반인데 지금 6학년이에요. 제가 다가가 왜 혼자 앉아 있느냐고 안으로 들어가자고 했어요. 오늘은 서울도 엄청 추웠거든요. 시간도 저녁때라 해가 진 후였어요. 제가 안으로 들어가자고 아무리

달래도 미랑이는 싫다고 하면서 혼자 앉아 있겠다는 거예요. 그래서 왜 그러느냐고 물었더니 오늘이 자기 생일인데 엄마가 올지 몰라서 기다린다는 거예요. 미랑이 말을 듣는 순간 전 제가 미웠어요. 미랑이는 1년 전에도, 2년 전에도, 3년 전에도 오늘처럼 그랬는데 제가 그만 깜빡하고 잊어버린 거예요. 그래서 어떻게 할까? 하고 망설이다가 선생님에게 허락을 받고 미랑이를 데리고 중국집에 가 자장면을 사 줬어요. 물론 저도 같이 먹고요.

자장면을 먹고 나자 미랑이 얼굴이 밝아졌어요. 오늘 생일 선물로 꼭 받고 싶은 게 뭐냐고 물었어요. 그랬더니 부끄러워하면서 말을 못 하는 거예요. 그런 미랑이를 보면서 저는 미랑이가 받고 싶은 선물이 생리대라는 걸 알았어요. 슈퍼에 가서 생리대를 사고 속옷 파는 집에 가서 팬티랑 브래지어도 예쁜 걸로 사 줬어요. 손수건 한 장도요. 옛날에 엄마가 저한테 사 준 그대로요.

선물을 받은 미랑이는 제 손을 꼭 잡으면서 고맙다고 했어요. 얼굴도 웃고 있었어요. 미랑이에게 선물을 사 줄 수 있는 용돈을 엄마가 주셔서 엄마한테 고맙다는 인사를 꼭 드리고 싶었어요. 그래서 편지를 쓰는 거예요. 아니 그보다 엄마에게 이 말을 묻고 싶어 편지를 쓰는지도 몰라요. 미랑이 엄마는 미랑이를 데리러 올까요? 미랑이는 엄마가 꼭 자기를 데리러 올 거라고 믿는대요. 저는 미랑이한테 어떤 말을 해 주는 게 좋을지 몰라 아무 말도 안 했어요. 가슴이 답답했어요.

엄마, 잘 주무세요.

1월 9일 엄마를 사랑하는 딸 송이 올림.

편지를 읽고 난 수희는 창밖으로 시선을 돌렸다. 미랑이로 짐작되는 애가 떠오르기는 하는데 확실하지가 않았다. 미랑이 엄마는 딸과 한 약속을 지킬 수 있을까? 아이가 말귀를 알아들을 때 보육원에 맡기는 경우엔 대개 미랑이 엄마처럼 아이에게 약속한다. 하지만 그 약속을 지키지 못하는 부모는 지키는 부모보다 훨씬 더 많다. 처음엔 부모가 한 약속을 철석같이 믿던 아이들도 사춘기를 지나면서 믿지 않는 쪽으로 더 기울어진다. 그때 감당해야 하는 정신적 방황, 그 방황이 사춘기와 겹치면 그들만이 아는 극심한 열병을 치르게 된다. 그때 그들이 겪는 열병의 온도는 40도일까? 50도일까? 아니면 100도일까?

수희가 편지를 놓고 멍하니 창밖을 보고 있을 때 핸드폰이 울렸다. 핸드폰 화면에 '예쁜 딸 송이'가 뜬다. 미소를 지으며 핸드폰을 들여다보니 송이가 보낸 문자메시지와 함께 미랑이 사진이 보였다. 꼭 맞게 사진을 보냈네.

엄마가 미랑이 얼굴을 잘 떠올리지 못하실까 봐 사진 보내요. 예쁘지만 너무 말라서 속상해요. 다음에 강릉 갈 때는 미랑이 데리고 갈게요. 그래도 되죠?

똑똑하지만 차갑지 않은 아이, 따뜻하지만 냉철한 아이, 얘는 커서 뭐가 될까?

14

생명의 실상, 법석을 차리다

6 현전지, 7 원행지

6. 현전지

해인스님이 결가부좌를 하고 법석에 앉아 계신다. 스님 주위가 고요하다. 고요함이 향기롭다. 반안(半眼)을 뜨고 정좌하고 계신 스님 모습이 아름다워 숨이 막힌다. 대중은 그런 스님을 경건한 마음으로 바라본다. 잠시 후 선정에서 깨어나신 스님은 대중을 둘러본다. 상지 보살, 박 총장, 향산, 노 기자, 송혜륜, 강원해, 손 교수, 수희 모습이 차례로 스님 시야에 들어온다. 스님은 미소를 지으며 한 사람 한 사람 바라보다가 조용히 입을 여신다.

오늘은 지난번에 이어 화엄경 10지품 중 여섯 번째인 현전지(現前地)에 대한 법문을 하겠습니다. 현전지를 설명하기 전에 현전지의 전 단계인 제5지 난승지에 대한 기억을 함께 떠올려 보시기 바랍니다. 난승지는 인격 연마를 마친 보살이 마침내 고통 속에 잠겨 있는 사람들을 구제하기 위해 힘차게 세상 속으로 들어가는 자리임을 설명해 드렸습니다. 그때 보살의 특징은 평등관을 증득해 일체 생명을 평등하게 보는 힘을 지녔다는 것입니다. 그럼 일체 생명을 평등하게 보는 힘을 지녔다는 것은 무엇을 말하는 것인가? 그건 개개의 생명 안에 내재해 있는 적정심과 청정심을 보았다는 말과 같습니다. 일체 생명은 외양이나 신분의 고하, 지식의 유무와 상관없이 똑같이 적정심과 청정심을 지니고 있다는 사실을 본 것입니다. 이 평등심을 바탕으로 세상 속에서 보살행을 실천한 보살은 마침내 제6지인 현전지에 도달하게 됩니다. 현전지에 도달한 보살은 자신의 내면에서 뿜어져 나오는 지혜와 자비의 광명에 의해 세상을 다시 한 번 관찰합니다. 그때 보살이 관찰한 세계를 화엄경 10지품 현전지에서는 이렇게 설명하고 있습니다.

세상의 온갖 미혹의 상태는 모두 아집에서 나온다. 그러므로 아집을 없앤다면 미혹의 상태는 사라진다. 마음이 어리석은 사람은 자아에 집착하고 무지에 가려서 오직 불합리한 사고방식을 따라 활동해 나간다. 그런 까닭에 그들의 마음은 번뇌에 짓눌려서 미래의 윤회를 불러오게 되는 것이다. 먼저 마음에서 주관 객관이 생기고 그것에 이어 눈 귀 코 혀 몸 뜻과 같은 여러 감각기관의 작용이 일어난다. 다시 그것으로부터 대상과의 접촉이 생기고 그로 말미암아 감수(感受) 작용이 나타난다. 감수 작용에서 애욕이 일어나고 그것 때문에 집착이 생긴다. 이렇게 하여 우리의 생존이 영위되고 색(色) 수(受) 상(想) 행(行) 식(識)의 오온이 발생한다. 이윽고 오온은 쇠미해져서 마침내 소멸한다. 이런 쇠미, 소멸로부터 격렬한 고뇌가 일어난다. 그리고 슬픔과 괴로움과 근심이 집중해 생기게 되는 것이다.

위의 설명은 제6지인 현전지에 이른 보살이 세상을 관찰한 내용입니다. 이 관찰 내용은 말할 것도 없이 십이인연을 순차적으로 관찰한 것이지요. 보살은 세상의 모습을 관찰하다 마침내 십이인연에 도달하게 된 것입니다. 십이인연은 여러분들도 공부를 통해 알고 계시겠지만 고통의 근원이 근본무지에 뿌리를 두고 있다는 사실입니다. 이 근본 무지에서부터 연쇄적으로 관계가 형성되어 인생이라는 고리를 만들고 있음을 간파한 것이지요. 이렇게 십이인연을 깊이 통찰한 보살은 마침내 다음과 같은 선언을 합니다. '삼계에 속한 모든 것은 모두 마음으로 이루어져 있다. 여래가 설한 십이인연도 마음에서 말미암은 것이다.' 보살은 이런 선언을 통해 보살 자신이 지금껏 거쳐 온 모든 과정이 마음에 뿌리를 두고 있었음을 확연히 깨닫게 됩니다.

이렇게 십이인연을 관하던 보살은 한 단계 한 단계를 순차적으로 관하는 순관(順觀)을 하기도 하고, 거꾸로 관하는 역관(逆觀)을 하기도 하는 과정에서 마침내 삼계 유심의 삼계나 마음 자체도 없어지는 완전한 공(空)을 체득하게 됩니다. 이것을 공해탈문(空解脫門)이라 합니다. 공해탈이란 공 자체임을 체득하여 미혹의 세계를 완전히 벗어나는 것을 말합니다. 이런 공해탈에 안주할 때 전 세계는 어떤 형태로든 나타나는 일이 없어집니다. 이 상태를 무상해탈문(無相解脫門)이라 합니다. 이렇게 해서 보살이 공해탈과 무상해탈에 들어가게 되면 그에게는 오직 대비심에 의해 중생을 가르치고 인도하는 일만 문제로 남고 그 밖엔 어떤 원도 남지 않게 됩니다. 이 경지를 무원해탈문(無願解脫門)이라 합니다. 공해탈, 무상해탈, 무원해탈을 삼해탈문이라 하는데 이렇게 삼해탈문을 증득한 보살은 자타의 관념이나 유무의 분별을 완전히 떠나 오직 대비심만으로 사회활동에 정진하게 되지요. 그때 무애지현전(無碍智現前)이라는 지혜바라밀이 광명과 함께 나타나게 됩니다. 지혜바라밀이란 지혜에 의해 궁극의 열반에 이른다는 뜻이고, 무애지현전이란 장애 됨이 없이 인생의 모든 것을 꿰뚫어 볼 수 있는 투명한 지혜가 내면에서부터 솟아난다는 것입니다. 제6지 현전지는 바로 이 경지를 말하는 것입니다. 이 현전지는 야마천궁보살설게품에 설해져 있는 심(心) 불(佛) 중생(衆生) 삼무차별의 내용을 떠올리게 됩니다. 그 대목의 앞부분은 이렇습니다.

일체의 중생은 모두 다 과거 현재 미래의 삼세에 포함되며 삼세의 중생은 모두 다 오온 속에 포함된다.

오온은 숙업(宿業)에 의해 생기고 숙업은 마음에서 말미암아 생긴다. 마음은 마치 환상과 같고 중생 또한 그렇다.

삼세의 오온을 세간이라 한다. 세간은 스스로 만드는 것도 아니요, 또 다른 누구의 손에 의해 만들어지는 것도 아니다. 이 진실한 상황을 모르는 까닭에 사람들은 생사의 세계를 헤매고 있는 것이다.

세간은 모두가 괴로움이다. 이 진실한 상황을 모르는 까닭에 사람들은 미혹의 못물 속에 잠기는 것이다.

오온이란 무엇인가? 사람들은 오온이 깨져 버릴 것을 모르고 망령되이 그것을 불변하는 것인 듯 생각하고 있다.

오온은 알고 보면 미망(迷妄)한 것이요, 헛된 것이어서 그 진실한 실체는 없으며 그 자체가 공적(空寂)한 것이다.

여러 그릇된 견해를 떠나 명백히 진실한 상황(實相)을 파악하기만 하면 일체지의 부처님은 언제건 눈앞에 나타난다.

야마천궁보살설게품에 의하면 중생이란 삼세의 중생을 말하며 그것은 바로 오온을 말한다고 돼 있습니다. 오온은 숙업에서 말미암고, 숙업은 마음에서 말미암는다고 합니다. 오온이란 색(色) 수(受) 상(想) 행(行) 식(識)이고 색은 형태 있는 것, 즉 육체를 가리키고, 수 상 행 식은 정신을 가리키는 것입니다. 따라서 오온이란 심신을 말하는 것이지요. 일체중생은 오온에 포함되고 오온은 마음에 포함됩니다. 그러므로 일체중생 또는 삼세의 세간이 모두 마음에서 말미암는다고 할 수 있습니다. 이 야마천궁보살설게품은 제6지 현전지 보살이 체득한 내용과 아주 흡사합니다. 이렇게 제6지의 현전지보살은 공(空) 자체를 철저히 파고드는 것에 의해 공 자체를 체득하고 그것을 기초로 해서 대비심(大悲心)의 사회활동을 실천하게 되는 것이지요. 여기서 한 가지 흥미로운 것은 현전지보살이 인식한 세계와 야마천궁보살이 인식한 세계가 그 축을 같이 하고 있다는 것입니다. 이 사실로 미루어보아 제6지 현전지는 우리가 천상계라고 인식하는 야마천의 천인과 그 맥을 같이하고 있음을 알 수 있습니다.

제6지인 현전지에서 중요한 부분을 다시 한 번 상기시켜 드리겠습니다. 공, 무상, 무원의 삼해탈문을 증득한 보살 앞에 무애지현전(無碍智現前)이라는 지혜바라밀이 광명과 함께 나타난다고 했습니다. 지혜바라밀이란 지혜에 의해 궁극의 열반에 이른다는 뜻이요, 무애지현전이란 장애 됨이 없이 인생의 모든 것을 꿰뚫어 볼 수 있는 투명한 지혜가 내면에서부터 솟아난다는 것을 말하는 것입니다. 이 현전지에 이르면 불지(佛智)가 나타날 것이 약속된다고 합니다. 제6지 현전지에 이른 보살 앞에도 역시 무수한 부처님이 나타나 보살의 공부가 깊어졌음을 찬탄하고 격려한다고 돼 있습니다. 그간의 공부를 인가하는 것이지요. 이것으로 미흡하나마 제6지 현전지 법문을 마치도록 하겠습니다. 이해되지 않는 부분은 자리를 옮겨 함께 토론하면서 풀도록 하십시오.

법문을 마친 해인스님은 좌중을 향해 미소 지으며 합장했다. 선우에 대한 예경의 마음을 가득 담아서다. 좌중은 깊은 감동 속에서 스님을 우러러보며 합장배례했다. 스승에 대한 지극한 예경의 마음을 담아서다. 아름답고 향기로운 법석, 부처님과 교류하고 있는 것 같은 충만감이 장내를 가득 채웠다.

노 기자는 조용히 자리에서 일어나 방송 장비를 정돈했다.

그때 주지 스님이 들어와 공지 사항을 알렸다.

“예정대로 큰 스님 법문은 내일 다시 이어지겠습니다. 조출한 차담 자리를 마련해 놨으니 20분쯤 후에 제 방으로 오셔서 차를 드시기 바랍니다."

잠시 휴식을 취한 사람들은 주지실로 모였다. 노란 장판과 회색 벽지가 방의 분위기를 깔끔하게 했다. 방 가운데 찻상이 있고 찻상 위엔 차와 다기가 정갈하게 놓여 있었다.

"편히 앉으십시오."

주지 스님이 중앙에 자리를 잡고 앉으며 손님들을 맞았다. 그러자 사람들은 빈 좌복에 조용히 앉았다. 그때 흰머리를 길게 묶은 깡마른 노인이 들어왔다. 스님들이 입는 회색 동방을 입고 있는 노인한테선 탈속한 선인(仙人) 같은 청결함이 느껴졌다. 그러자 모두 흥미로운 얼굴로 노인을 바라보았다.

"오랫동안 탱화를 해 오신 불화장이십니다. 이쪽으로 앉으십시오."

주지 스님이 자신의 옆자리를 가리키며 앉으라고 했다. 그러자 노인이 주지 스님 옆에 앉았다. 마치 낙엽이 떨어져 땅위에 사뿐히 내려앉듯이 자리에 앉는 노인에게선 몸의 무게감이 전혀 느껴지지 않았다. 사람들은 그런 노인을 신기한 듯 바라보았다.

“화엄경 10지품을 변상도로 그리려는 원을 세우고 우리 절에 오셨습니다.”

주지 스님이 다관에 차를 넣으며 말했다.

“변상도가 뭡니까?”

향산이 물었다.

“경의 내용을 그림으로 표현한 걸 변상도라 하네.”

원해가 대답했다.

“그럼 우리가 공부하고 있는 10지품의 내용을 열 장의 그림으로 표현한다는 말씀인가?”

“그렇지.”

“…?”

향산이 고개를 갸웃했다. 그 어려운 내용을 그림으로 표현하다니?

“화엄경 변상도는 원래 있습니까?”

노 기자가 물었다.

“있습니다. 내려오는 변상도는 주로 법화경 내용과 화엄경 내용을 그린 것입니다.”

주지가 대신 설명했다.

“그림은 이미 있군요. 그럼 소설도 있는가요?”

혜륜이 긴장하며 물었다.

"소설이라니요?"

주지가 어리둥절한 얼굴로 되물었다.

"소설형식을 취한 건 없습니다. 이야기식으로 풀어 놓은 건 있겠지만요."

원해가 대신 설명했다. 그러자 혜륜이 다행이라는 표정을 지었다.

"혜륜 씨도 10지품을 소설로 써 보고 싶은 원을 세웠나 보죠?"

노 기자 질문에

"네."

혜륜이 또렷한 소리로 대답했다. 그러자 모두 호감을 가지고 혜륜을 바라보았다.

"나중에 아주 나중에요. 어쩌면 금생엔 못 쓸지도 몰라요."

혜륜이 상기된 얼굴로 고백하듯 말했다.

"금생이건 내생이건 언젠가는 보게 되겠군요. 우린 항상 만나게 될 테니까요."

노 기자 말을 듣고 모두 가볍게 웃었다.

"오늘은 특별히 좋은 차를 내렸습니다. 드십시오."

주지 스님이 빈 찻잔에 차를 칠 푼쯤 따랐다. 그러자 모두 자신 앞에 놓인 찻잔을 들어 향기로운 차를 마셨다.

"불화장 님은 언제부터 불화를 그리기 시작했습니까?"

향산이 물었다.

"언제부터인지는 본인도 모른답니다. 어려서 자신을 보니 절에 있었고 손에는 붓이 쥐어져 있더랍니다."

주지 스님이 대신 답했다.

"그렇다면 아주 어린 나이였을 거 같은데 어떻게 붓을 들고 있었는가요?"

"모사(模寫)를 하라고 붓을 쥐여 준 거 같습니다. 불화를 하려면 같은 그림을 만 장은 모사를 해야 한답니다."

"모사를 시켰다면 불화를 하시는 분이 계셨을 텐데 그분하곤 어떻게 만나셨는가요?"

"어린 나이부터 절에 있게 됐는데 그 절에 불화를 하시는 분이 계셨던 거 같습니다. 그분이 귀엽게 여겨 늘 옆에 두고 심부름을 시켰답니다."

"그러니까 아주 어린 나이에 독선생님 밑에서 공부를 하셨군요."

향산이 머리를 끄덕였다. 독선생이라는 말을 듣는 순간 수희 머릿속에 상진이 모습이 떠올랐다. 수희는 고개를 돌리고 상지 보살을 바라보았다. 상지 보살은 긴장한 얼굴로 조용히 얘기를 듣고 있었다.

"저분은 말씀을 못 하십니까?"

총장이 물었다.

"듣기는 하십니다. 오랫동안 묵언을 해 오셔서 여러 사람과 대화하는 건 어렵습니다. 그래서 제가 대신 설명하고 있습니다."

"그렇군요. 아주 귀한 분을 만났다는 생각이 듭니다. 훌륭한 변상도가 제작될 거 같습니다."

총장이 힘주어 말했다.

"해인스님이 10지품 법문을 하시는 걸 알고 계셨던 거 같군요. 이리로 오신 걸 보면요."

원해가 말했다.

"불화장 님이 계신 절 스님들이 유튜브 방송을 듣고 절 신도들과 함께 10지품 공부를 하신답니다. 방송 내용을 활자로 옮겨 같이 공부하면서 토론한다고 하더군요."

"절에서도 하시지만 불자님들도 동아리를 만들어 공부하고 있습니다. 전국적으로 170개 정도 됩니다."

노 기자가 현황을 설명했다.

"아주 고무적인 일이군요. 변상도를 제작하시려면 한 품 한 품 내용을 정확히 알고 계셔야 할 텐데 불화장 님은 여기서 어떻게 공부를 하실 계획인가요?"

총장이 물었다.

"제가 신도들과 함께 10지품을 공부하고 있습니다. 그때 거사님도 함께 참석하게 하고 이해되지 않는 부분은 큰스님께 여쭤보려 합니다."

"훌륭한 변상도가 제작되기를 진심에서 기원합니다. 저로서는 아주 귀한 분을 만났다는 생각이 드는데 정식으로 인사드리고 싶습니다."

총장이 일어나 불화장을 향해 공손히 절을 했다. 그러자 불화장도 일어나 공손히 맞절을 했다. 예경(禮敬)의 진심이 가득 담긴 두 사람을 보면서 사람들은 뭐라고 설명할 수 없는 아름다움을 느꼈다. 서로가 서로를 알아보는 지기(知己)의 모습, 감동이 벅차올랐다. 두 분의 인연은 아주 오래전, 전생 어디쯤에서 맺어졌을지도 모를 일이다.

예경 회원들이 고향집 사랑채에 도달했을 때 미리 와 있던 10여 명의 사람들이 나와 예경 회원들을 맞았다.

"반갑습니다. 추운데 어서 안으로 들어오십시오."

"고맙습니다."

예경 회원들도 가볍게 인사를 나누며 마루로 올라갔다.

"마루지만 바닥이 따뜻합니다. 보일러 시설이 돼 있어서요."

상지 보살이 코트를 벗으며 말했다.

"집은 고풍스러운데 시설은 현대적이군요."

총장도 웃으며 코트를 벗었다.

"마루가 추우면 겨울엔 이 공간이 무용지물이 되지 않습니까? 그래서 보일러를 놨습니다."

"잘하셨습니다. 덕분에 우리가 제일 먼저 유용하게 쓰게 됐군요."

가벼운 인사를 나누는 동안 모두 자리를 잡고 앉았다.

"최 선생님이 먼저 소개를 하시지요."

상지 보살이 최완규를 보며 시키자

"그러겠습니다. 저는 최완규라고 합니다. 고등학교 수학 교사로 재직하고 있습니다. 상지 보살님과는 오래전부터 인연을 맺고 가르침을 받아오고 있습니다. 여기 있는 분들도 저처럼 모두 교사들입니다. 평소 가깝게 지내는 동료들인데 예경원을 중심으로 펼치는 〈따뜻한 우리, 참다운 대한민국〉에 대한 얘기를 오래전부터 들어왔습니다. 유튜브 방송을 통해서도 자세한 내용을 알고 있었고요. 그래서 저희도 하시는 일에 동참하고 싶어서 오게 됐습니다."

"반갑습니다. 잘 오셨습니다."

총장이 환하게 웃으며 반겼다.

"생명은 따뜻한 땅에서 꽃피울 수 있다는 말이 가슴에 와 닿았습니다. 따뜻하다는 말은 사랑이나 자비라는 말로 표현

된다는 말도 가슴에 와닿았습니다. 다른 생명을 꽃 피울 때 내 생명도 꽃피게 된다는 이치를 아는 게 지혜라는 말도 가슴에 와닿았습니다. 그래서 저희도 〈따뜻한 우리, 참다운 대한민국〉 산하에 〈두레박〉이라는 지회를 만들어 함께 생명의 꽃을 피워 가려고 합니다."

"취지를 정확히 이해하고 동참해 주셔서 고맙습니다. 지회 명칭을 〈두레박〉이라고 하신 특별한 이유가 있습니까?"

총장이 웃으며 물었다.

"처음엔 옹달샘, 샘터 등이 거론되었는데 마지막에 두레박으로 정했습니다. 이 이름 짓느라고 저희도 고생을 많이 했습니다."

최완규 말을 듣고 모두 유쾌하게 웃었다.

"두레박으로 짓게 된 경위도 함께 설명해 주시지요."

"그러겠습니다. 우리 속담에 구슬이 서 말이라도 실에 꿰지 않으면 소용이 없다는 말이 있잖습니까? 옹달샘이나 샘터에 맑은 물이 넘쳐도 바가지가 없으면 물을 뜰 수가 없지요. 그래서 처음엔 표주박이나 바가지로 하려다가 표주박은 용량이 너무 작고 바가지는 어감이 좋지 않아 두레박으로 했습니다. 옹달샘이나 샘터보다는 아무래도 우물이 용량도 더 클 거 같아서요."

"듣고 보니 이름을 지으시느라 고생하셨다는 말이 이해됩니다. 그 두레박으로 퍼 올린 물을 어떻게 쓰려고 합니까?"

"칭찬하는 데 쓰려고 합니다. 생명을 꽃피우는 데는 칭찬보다 더 좋은 자양분이 없다는 걸 저희는 오랜 교사 생활을 통해 터득하고 있습니다. 학교 선생님에게서 들은 한마디의 칭찬이 인생의 성패를 가를 수 있다는 걸 여러 사례를 통해 알고 있습니다."

최완규 말을 듣고 있던 여선생이 웃으며 말했다.

"알고 있으면서도 칭찬하는 일엔 늘 인색했습니다. 주머니에서 돈이 빠져나가는 것도 아닌데 말이에요."

"돌이켜 보면 학생들한테 칭찬하는 말보다 상처 주는 말을 더 많이 했다는 생각이 듭니다. 누가 상을 주는 것도 아닌데 말입니다."

옆의 선생이 먼저 한 말을 따라 하며 웃었다. 왜 그랬을까? 상처 주는 말을 많이 한다고 누가 상을 주는 것도 아니었는데….

"여기 있는 저희도 학교에 오면 선생이지만 집에 가면 어머니고 아버집니다. 이 세상에 부모 자식 관계만큼 절대적인 게 어디 있습니까? 다른 사람들처럼 저희도 자식을 위해서라면 못 할 일이 없다고 생각하며 살고 있습니다. 그런데 뒤돌아보니 자식들한테도 따뜻한 칭찬을 해 준 기억이 별로 없습니다. 알게 모르게 상처 주는 말은 많이 했으면서도 말입니다."

검은 안경을 쓴 선생이 회한이 담긴 목소리로 말했다.

"그게 우리 모두의 자화상입니다. 저도 그 일이 잘 안돼서 '비판보다는 칭찬하며 살자.'를 좌우명으로 정해 놓고 있습니다."

총장이 말했다. 그러자 모두 놀란 눈으로 총장을 바라봤다. 저분도 그런다고?

"젊었을 때 우연히 TV에서 재미작가 김은국 씨와 소설가 선우휘 씨가 대담하는 장면을 보게 됐습니다. 주제는 기억이 나지 않는데 선우휘 씨가 뭔가를 격렬하게 비판하자 묵묵히 듣고 있던 김은국 씨가 이렇게 말하더군요. '저도 한때는 날카롭게 비판하는 일을 서슴지 않고 했습니다. 그런데 어느 순간부터 누군가가 제 뒤통수에 대고 너는? 하고 묻는 소리가 들리더군요. 그 후부터는 남을 비판하는 일이 두렵게 느껴졌습니다.' 어눌한 어조로 느릿느릿 말하는 김은국 씨의 말을 듣는 순간 저도 뒤통수를 한 대 얻어맞은 느낌이 들면서 남을 비판하는 일이 두렵게 느껴지더군요. 그 후부터 '비판보다는 칭찬하며 살자.'를 좌우명으로 정하고 여기까지 왔습니다."

총장 말은 진실하고 솔직했다. 그래서 깊은 친근감과 신뢰를 안겨 주었다.

"총장님의 젊은 시절이었다면 수십 년은 될 거 같은데, 수십 년 동안 실천해 오셨다면 그 명제는 이제 좌우명이 될 수 없을 거 같습니다."

"그렇지 않습니다. 딱딱하게 굳어 있던 심보가 말랑말랑하게 녹아 있긴 하지만 물처럼 흐르지는 않습니다. 그러니 더 노력해야지요."

"지금 말씀하신 것 이외에 또 다른 좌우명이 있으신가요? 있으시면 그것도 좀 들려주세요."

분홍색 스웨터를 입은 여선생이 공손히 청했다.

"제 밑천이 다 드러나는 거 같아 쑥스럽긴 합니다만, 요청을 받았으니 마저 해 드리겠습니다. '나중에 후회할 실수는 저지르지 말자'와 '누구를 만나든 진실하고 겸손하게 대하자.'가 제 좌우명입니다."

총장은 소탈하게 웃으며 자신의 좌우명을 털어놨다. 그러자 사람들은 의외라는 눈으로 총장을 바라봤다. 자신들과는 격이 다른 대학 총장, 국민 대다수의 존경을 받는 박광효 총장의 좌우명으로는 너무도 평범해서였다. 그런데 평범하게 들리는 그 좌우명이 이상하게 가슴속에 큰 울림을 주고 있었다. 나중에 후회할 실수는 저지르지 말자, 누구를 만나든 진실하고 겸손하게 대하자, 총장이 한 말을 따라 하던 질문자가 물었다.

"그러려면 순간순간 지혜로워야겠네요?"

"정확히 간파하셨습니다. 그래서 제 인식 작용이 지혜와 일치되게 하려고 순간순간 노력하며 살고 있습니다."

총장이 한 말의 뜻을 새기고 있을 때 상지 보살이 조용히 말했다.

"해인스님의 법문이 실현되는 현장을 보고 있는 거 같아 기쁩니다."

"…?"

무슨 뜻이지? 사람들이 상지 보살을 쳐다봤다.

"인격의 연마 없는 지혜는 공허합니다. 깨달음에 집착한 사람들은 지혜만을 얻으려 하는데 인격이 수반되지 않은 지혜는 흡사 선밥과 같습니다. 선밥을 누가 먹겠습니까? 모두 외면하게 되지요. 총장님은 좌우명으로 삼고 계신 그 하나하나를 통해 청정심을 증득하고 계십니다. 청정심으로 평등심을 누리고 계시기 때문에 세상의 등불이 되고 계신 겁니다."

"그렇게 말씀해 주시니 한없이 기쁩니다."

사람들은 경건해지는 마음으로 두 사람이 나누는 대화를 듣고 있었다. 긴장감이 맴돌자 상지 보살이 벗어놨던 코트를 집으며 자리에서 일어났다.

"저는 안으로 가 봐야겠습니다. 잠시 후 모두 안으로 오십시오. 저녁은 안에서 드시겠습니다."

상지 보살이 코트를 들고 밖으로 나가자 수희도 따라 일어났다.

"서울 손님들은 여기서 주무시고 혜륜 씨는 나하고 예경 다원에서 자요. 저녁 식사 후 사랑채에서 마음껏 대화를 나누십시오. 두레박 회원님들도 같이요. 저도 참석해서 가장 좋은 약차를 대접하겠습니다."

"뒤풀이가 준비되어 있는 거 같아 한껏 마음이 들뜹니다."

"그땐 손 교수님의 노래도 들을 수 있겠지요?"

"벌써 취기가 느껴집니다. 행복의 취기 말입니다."

"하하하."

손 교수가 자리에서 일어나 분합문을 활짝 열었다.

"석양을 받은 문필봉이 신령스럽군요. 저녁을 먹고 오면 저 문필봉이 어둠 속에 잠길 텐데 제가 여기서 노래 한 곡을 부르겠습니다."

손 교수가 먼 산을 바라보며 말하자 환호 소리와 함께 박수 소리가 터져 나왔다.

"문필봉 뒤에 있는 저 아련한 산 너머에 금강산이 있을 거 같군요. 제가 그리운 금강산을 부를 테니 금강산이 그리운 분들은 저와 같이 부르십시오. 언젠가 함께 금강산에 오르겠다는 굳은 약속을 하면서 말입니다."

손 교수의 열창에 따라 모두 함께 그리운 금강산을 합창했다. 언젠가 같이 금강산에 오르겠다는 굳은 약속을 하면서. 이보다 더 행복할 수 있을까? 함께 선한 마음을 내고, 함께 노래를 부른 것 뿐인데… 이렇게 행복할 수 있다니!

7. 원행지

해인스님이 결가부좌를 하고 법석에 앉아 계신다. 스님 주위가 고요하다. 고요함이 향기롭다. 반안(半眼)을 뜨고 정좌하고 계신 스님 모습이 아름다워 숨이 막힌다. 대중은 그런 스님을 경건한 마음으로 바라본다. 잠시 후 선정에서 깨어나신 스님은 대중을 둘러보신다. 상지 보살, 박 총장, 향산, 노기자, 송혜륜, 강원해, 손 교수, 수희 모습이 차례로 시야에 들어온다. 해인스님은 미소를 지으며 한 사람 한 사람을 바라보다가 조용히 입을 여신다.

오늘은 화엄경 10십지품 중 일곱 번째인 원행지(遠行地)에 대한 법문을 하겠습니다. 원행지 법문을 하기 전에 지난 시간에 했던 제6지 현전지에 대한 법문을 간략하게 다시 하겠습니다. 원행지를 이해하려면 현전지를 충분히 숙지(熟知)하고 있어야 하기 때문입니다. 제6지 현전지보살은 자신의 내면에서 뿜어져 나오는 지혜로 세상을 관찰하다 일체가 마음의 작용임을 깨닫게 됩니다. 삼계가 마음에서 비롯됐고, 부처님이 설하신 십이연기도 마음의 작용임을 간파하게 된 것이지요. 뿐만 아니라 자신이 지나왔던 전 과정도 마음에 뿌리를 두고 있었음을 알게 되었습니다. 이런 사실을 안 보살은 마음의 작용을 설명한 십이연기를 차례대로 순관을 하기도 하고, 반대로 뒤에서부터 역관을 하기도 하다가 마음도 삼계도 다 없어지는 공(空)을 체득하게 됩니다. 이것을 공해탈문(空解脫門)이라 합니다. 공해탈문에 든 보살은 삼계도 마음도 다 사라지는 무상해탈문(無相解脫門)에 들게 되고 일체의 형상이 다 사라진 자리에 선 보살은 아무것도 원하는 것이 없는 무원해탈문(無願解脫門)에 이르게 됩니다. 공해탈문, 무상해탈문, 무원해탈문을 삼해탈문이라 하는데 이렇게 삼해탈문에 든 보살은 일체가 공(空)임을 투철하게 깨달았기 때문에 모든 번뇌가 다 소멸된 멸진정을 성취하게 됩니다. 멸진정에 이르면 자타의 관념이나 유무의 관념에서 완전히 벗어나고 대비심만 오롯이 남게 되지요. 대비심은 말 그대로 큰 자비심인데 이 대비심은 보살의 원래 서원이기도 합니다. 이렇게 대비심만 오롯이 남은 보살에겐 세상 사람들을 가르치고 열반으로 이끌어 주려는 원력 이외엔 아무것도 없게 됩니다. 그때 무애지현전(無碍智現前)이라는 지혜바라밀이 광명과 함께 나타납니다. 지혜바라밀이란 지혜에 의해 궁극의 열반에 이른다는 뜻이고, 무애지현전이란 장애 없이 인생의 모든 것을 꿰뚫어 볼 수 있는 투명한 지혜가 내면에서부터 솟아난다는 뜻입니다. 이것이 전 시간에 공부한 제6지 현전지에 대한 설명이었습니다.

그럼 지금부터 제7지 원행지(遠行地)에 대한 법문을 하겠습니다. 원행지는 글자대로 해석하면 멀리 떠나와 있는 자리입니다. 그러면 무엇으로부터 멀리 떠나와 있는가? 그것은 미혹의 세계로부터 멀리 떠나와 있다고 할 수 있습니다. 미혹의 세계는 무지의 세계라고도 할 수 있는데 무지의 세계에서 출발해 제7지인 원행지에 도달하기까지는 아득한 공간개념이 성립될 수밖에 없습니다. 공간개념을 시간개념으로 대처해도 무방합니다. 도는 찰나에 이루어집니다. 그러므로 보살의 세계를 설명하면서 공간과 시간을 끌어들이면 그건 도를 모르고 하는 얘기라고 할 수도 있습니다. 그러나 도를 이루는 건 순간이라 해도 그 순간 이전의 시간과 공간개념을 무시하면 도를 이룬다는 말 자체가 성립되지 않습니다. 그건 수행의 전 과정을 무시하는 것과 같기 때문입니다. 제7지인 원행지는 아주 중요한 자리입니다. 구도자가 머무는 집을 세 종류로 분류하면 중생의 집, 보살의 집, 그리고 부처의 집이라 할 수 있을 것입니다. 여기서 집을 세계로 바꾸어도 무방합니다. 중생의 세계, 보살의 세계, 부처의 세계 이렇게 말입니다. 조금 전에 제가 제7지인 원행지가 중요하다 한 것은 원행지가 보살의 집, 즉 보살의 세계로는 마지막 종착지이기 때문입니다. 미혹의 세계로부터 떠나온 보살은 쉼 없이 노를 저어 마침내 제7지인 원행지에 도착했습니다. 한 단계 한 단계 자리를 바꾸어 가는 전 과정은 보살 자신의 힘에 의해서였습니다. 말하자면 망망대해에서 노를 젓는 주인공이 보살 자신이라는 얘깁니다. 그런데 제7지인 원행지를 벗어나면 그다음엔 노를 젓는 주인공이 보살에서 부처님으로 바뀝니다. 부처의 집, 부처의 세계로 들어가게 되는 것이지요. 그래서 제7지 원행지는 보살의 집으로 명명된 세계의 마지막이라는 것입니다. 무지의 집에서 출발한 구도자가 부처의 집 문 앞까지 왔으니 얼마나 먼 거리를 왔겠습니까? 그 거리는 구도자가 이룩한 수행의 전 과정이라 할 수 있지요. 그럼 지금부터 제7인 원행지에 대해 설명하겠습니다.

원행지에 이른 보살은 전 단계에서 장애를 받지 않고 인생의 모든 것을 꿰뚫어 볼 수 있는 지혜를 증득했다고 했습니다. 따라서 원행지보살은 자신의 내면에서 솟아나는 지혜로 세계를 관찰하게 됩니다. 중생의 세계, 중생 업의 세계, 중생 마음 작용의 세계, 국토의 세계, 성문의 세계, 연각의 세계,

보살의 세계, 보살행의 세계 등입니다. 이런 세계를 관찰하던 보살은 놀라운 사실을 발견합니다. 그건 자신이 관찰한 세계가 실은 부처님에 의해 인도되고, 정화되고, 깨닫게 되고, 체득된 세계라는 사실입니다. 이 말을 바꾸어 하면 현실 세계는 부처의 세계고, 진리의 세계란 뜻이지요. 법계로 명명되는 진리의 세계와 중생계로 명명되는 현실 세계가 다르지 않다는 것을 간파한 보살은 현실 세계 속에서 부처의 세계를 구현해 갈 것을 다짐합니다. 힘찬 보살행이 새롭게 시작되는 것이지요. 이때 보살은 어떤 행을 하든 그 행은 십바라밀로 회향됩니다. 찰나 찰나에 십바라밀이 완성되고 구현된다는 얘깁니다. 그러면 십바라밀이 무엇인지를 다시 한 번 생각해 보겠습니다. 십바라밀은 여러분들도 알고 있듯이 보시(普施), 지계(持戒), 인욕(忍辱), 정진(精進), 선정(禪定), 반야(般若), 방편(方便), 원(願), 역(力), 지(智)입니다. 보시는 사람들에게 모든 선행을 베풂으로 열반에 이르게 되고, 지계는 번뇌의 불을 제어함으로 열반에 이르게 됩니다. 인욕은 자비심으로 중생 속에서 견디어 냄으로 열반에 이르게 되고, 정진은 게으름을 피우거나 싫증 냄이 없이 노력함으로 열반에 이르게 되는 것입니다. 선정은 마음에서 일어나는 산란함을 소멸시켜 적정에 듦으로 열반에 이르게 되고, 반야는 무생법인(無生法忍)을 인식함으로 열반에 이르게 되지요. 방편은 헤아릴 수 없는 온갖 지혜를 개척해 감으로 열반에 이르게 되고, 원은 보살의 서원을 이루어 감으로 열반에 이르게 됩니다. 역은 어떤 논리나 방해에도 굴하지 않고 도를 성취해 가는 힘으로 열반에 이르게 되고, 지는 근본 실상을 깨달음으로 열반에 이르는 것을 말합니다. 원행지에 이른 보살은 신(身), 구(口), 의(意)의 작용을 통해 십바라밀을 찰나 찰나 구현하고 완성하며 회향하게 됩니다.

이 말을 바꿔서 하면 원행지보살은 찰나 찰나 멸진의 경지에 들어가면서도 또한 찰나 찰나 불가사의하고 무량한 신(身) 구(口) 의(意)의 작용을 실현해 가는 것이지요. 그는 열반에 들어가면서도 동시에 생사의 세계에서 활동합니다. 생사의 세계에서 활동하면서도 그의 마음은 모든 번뇌를 떠나 있습니다. 세상의 모든 의무를 다하면서도 출세간의 진리 속에서 살고, 출세간의 진리 속에 살면서도 온갖 세속의 의무를 다하고 있지요. 원행지보살은 금강처럼 강한 원력 속에서 위와 같은 바라밀 행을 실천에 옮기고 있습니다. 제7지 원행지보살 앞에도 무수한 부처님이 나타나 찬탄하고 격려하는 것으로 되어 있습니다. 보살의 공부를 인가해 주는 것이지요. 이것으로 부족하나마 제7지 원행지 법문을 마치겠습니다. 제6지 현전지와 제7지 원행지는 우리의 의식으로는 이해하기 어려우니 장소를 옮겨 모르는 부분을 서로 토론을 통해 풀도록 하십시오.

법문을 마친 해인스님은 좌중을 향해 미소를 지으며 합장했다. 선우에 대한 예경의 마음을 가득 담아서다. 좌중은 깊은 감동 속에서 스님을 우러러보며 합장배례했다. 스승에 대한 지극한 예경의 마음을 담아서다. 아름답고 향기로운 법석, 부처님과 교류하고 있는 것 같은 충만감이 장내를 가득 채웠다.

노 기자는 조용히 자리에서 일어나 방송 장비를 정돈했다.

15

그대 있음에 내가 있네

박광효 총장 책상 위엔 결재서류가 수북이 놓여 있다. 신학기를 준비하기 위한 서류들이다. 총장이 신임 교수 채용을 위한 결재서류들을 들여다보고 있을 때 핸드폰이 울렸다. 원해였다.

"응. 나야. "

"많이 바쁘실 것 같아 망설이다 전화를 드렸습니다."

"바쁘긴 하지만 용무를 말해 봐."

"노 기자와 혜륜 씨가 총장님을 뵙고 싶다 해서요. 시간이 가능하시겠습니까?"

"그런 건 비서실에 물어봐야지."

"비서실에 물어보니 오늘은 어렵다고 하더군요. 그래서 혹시 퇴근 후에라도 시간이 가능하신지 전화를 드려 봤습니다."

"퇴근 후엔 다른 약속이 있어서 안 되고… 아, 이렇게 하지. 점심시간에 와. 교수 식당에서 점심을 같이 먹으며 얘기를 나누게."

"알겠습니다. 그럼 시간 맞춰 교수 식당으로 바로 가겠습니다."

"그러면 기다리게 될지도 모르니까 일단 내 방으로 와."

"그러겠습니다."

들고 있던 핸드폰을 도로 책상 위에 놓은 총장은 보던 서류를 다시 들여다봤다. 노 기자는 수시로 드나드니 거절을 해도 무방하지만 혜륜은 처음이라 거절하기가 마음에 걸렸다. 서류를 들여다보고 내방객을 맞다 보니 점심시간이 되었다. 총장은 책상 위에 있는 초인종을 눌렀다. 비서를 부르기 위해서였다. 그러자 곧바로 비서가 왔다.

"강 박사 와 있지?"

"네."

"들어오라고 해요."

"네."

비서가 나감과 거의 동시에 일행이 들어왔다.

"식사 후에 다시 오기 어려울 테니 잠깐 앉지."

총장이 소파를 가리키며 먼저 앉았다. 그러자 세 사람도 같이 자리에 앉았다.

"차를 준비할까요?"

비서가 와서 물었다.

"응"

"저는 총장님 방은 어떻게 꾸며져 있을까 하고 궁금했어요. 그런데 이렇군요."

혜륜이 방을 둘러보며 웃었다.

"실망한 표정이군."

"그게 아니고요. 호랑이나 사자 같은 조각품이 있을 줄 알았는데 그런 게 없어서요."

"작가라서 은유법을 쓰는 거야? 무슨 말인지 알아듣지 못하겠는데."

"제가 생각했던 총장님 방보다는 훨씬 더 소박해서요. 여기 앉아 있어도 전혀 주눅 들지 않고 편안해요."

"내가 보기에 송 작가는 청와대 영빈관에 앉아 있어도 주눅 들것 같지 않은데."

"총장님이 저를 그렇게 나쁜 애로 보시는 줄 몰랐어요. 저 그렇게 되바라진 애 아니에요."

"나도 되바라졌다는 의미로 말한 건 아니야. 어, 차가 왔군. 얼른 차 마시고 점심 먹으러 가지."

일행은 가볍게 웃으며 차를 마시고 총장실을 나왔다.

교수 식당은 말이 교수 식당이지 밥을 먹는 사람의 반은 학생들이었다. 주머니 사정이 좀 나은 학생들은 아예 교수 식당에서 밥을 먹는 거 같았다. 식권을 내고 줄을 서서 한 바퀴

돌자 일행은 갈비탕이 담긴 식판을 들고 자리에 와 앉을 수 있었다.

"맛있게 먹자구."

총장이 수저를 들자 모두 수저를 들고 식사를 시작했다. 날씨 얘기, 근황 얘기가 가볍게 이어지다 본론으로 들어갔다.

"총장님이 한반도의 통일은 정치인이 아니라 국민이 주체가 됐으면 좋겠다고 하신 말씀을 유튜브에 올렸더니 폭발적인 반응이 왔습니다. 그리고 한 시청자가 남긴 글이 문제가 돼서 저희가 왔습니다. 화급하게 조치를 하지 않으면 안 될 거 같아서요."

"무슨 내용인지 얘기해 봐."

"'좋아요'를 누른 시청자가 이런 글을 남겼습니다. 정치인은 국민들보다 더 지혜롭지 않다. 정치인은 국민들보다 더 선량하지 않다. 정치인은 국민들보다 더 유능하지 않다. 그러므로 한반도 통일은 정치인이 주체가 돼서는 안 된다. 그 글이 올라오자 흡사 파도가 밀려오는 것처럼 찬성 댓글이 올라왔습니다. 그래서 어떻게 조치하는 게 좋은지 몰라 저희가 급히 총장님을 뵈러 왔습니다."

"정치인에 대한 불신이 심각한 거 같군."

"저희도 그렇게 느꼈습니다. 하지만 정치를 배제할 순 없지 않습니까? 통일문제에서도 마찬가지고요."

"물론 배제할 수 없지. 정치인은 정치인으로서 감당할 몫이 있으니까."

"저는 이번 댓글을 보면서 세상의 패러다임이 바뀌고 있다는 확신이 들었습니다. 왕조시대엔 왕이 국민을 다스린다고 생각했습니다. 국민도 그렇게 생각했고요. 그런데 어느 시점에 이르자 왕조시대는 종말을 고하고 지상에서 사라졌습니다. 그 후 등장한 것이 대의정치였습니다. 국민을 대신해서 대표로 뽑힌 사람들이 나라를 다스리는 것이지요. 그건 자유민주주의 진영뿐 아니라 공산주의 진영에서도 마찬가지였습니다. 공산당원이 바로 그런 몫을 담당하는 사람들이니까요. 이 대의정치는 국민의 대표자를 국민들이 직접 뽑았다는 명분은 가지고 있지만, 그 안에는 나라를 다스리는 권력을 묵시적으로 대표자에게 맡긴 것으로 되어 있었습니다. 그래서 정치인은 권력을 쥔 자로 인식되었고 정치인들은 그렇게 행세해 왔습니다. 그런데 그 패러다임도 바뀌는 시점에 이르렀다는 확신이 듭니다. 나라의 주인은 국민이고 모든 권력은 국민으로부터 나온다, 라는 말이 구호가 아니라 현실이 되고 있다는 것이지요. 지금까지 제가 한 말이 맞습니까?"

노 기자가 총장을 보며 물었다.

"새겨들을 만한 말이군. 더 계속해 봐."

"이제 정치인은 권력을 쥐고 나라를 다스리는 사람들이

아니라 나라를 잘 경영하는 사람들로 바뀌고 있습니다. 대기업의 경영자들처럼 말입니다. 대기업의 경영자들이 일류 기업을 만들기 위해 탁월한 능력을 발휘해야 하듯이 앞으로 정치인들도 유능함을 갖추지 못하면 정치인으로 존재할 수 없게 됩니다. 대기업 경영자와 다른 점이 있다면 대기업 경영자는 이익을 창출해 내는 구조로 끌고 가면 되지만, 정치인은 국민으로부터 신뢰와 존경을 받으면서 유능하게 국가를 경영해야 한다는 사실입니다. 그러기 위해선 정치인은 인격 연마의 과정을 필수적으로 거쳐야 합니다. 그래야만 자신이나 집단의 이익보다 국민이나 국가의 이익을 우선하게 되죠. 앞으로 정치인은 그런 사람이 되고, 그들에겐 권력을 쥐고 있다는 개념 자체가 없게 됩니다. 오로지 세상과 국민을 유익하게 하는 데만 그 초점이 맞춰져 있습니다. 난승지보살처럼 말입니다. 지금까지 제가 드린 말씀이 맞습니까?"

"응. 맞아."

"그런 정치인을 뽑는 건 국민이기 때문에 국민 역시 의식을 진화해 가지 않으면 안 됩니다. 총장님이 주도하고 계신 〈따뜻한 우리, 참다운 대한민국〉이 좋은 예가 되겠지요."

"그걸 왜 내가 주도한다고 생각해? 우리 모두 함께하는 거지."

"본래의 얘기로 되돌아가서 댓글 문제는 어떻게 처리하는 게 좋겠습니까?"

"국민이 통일의 주체가 되기 위해선 세심한 준비가 필요할 거 같군. 좀 더 연구한 후에 그 문제는 수면 위로 끌어올리지."

"알겠습니다. 그렇게 조치하겠습니다."

"고마워. 난 바빠서 먼저 들어가 봐야겠어."

"그러십시오. 저흰 좀 더 이야기를 나누다 가겠습니다."

총장은 집무실로 가고, 원해 노 기자 혜륜은 그대로 남았다.

"오늘 느낀 건데 저분은 흡사 율곡 선생 같지 않습니까? 십만 양병을 제창한 율곡 선생 말입니다."

노 기자가 진지한 표정을 지으며 물었다.

"노 기자 얘기를 듣고 보니 정말 그런 거 같네요. 율곡이 왜적의 침입을 막기 위해 십만 양병을 주창했는데 그때 만약 율곡의 주창이 받아들여졌다면 임진왜란 같은 참화는 겪지 않았겠지요. 총장님은 미국 유학을 마치고 29살 때 이 학교로 와서 연구소 일을 맡아 하면서 전임으로 첫 강의를 시작했습니다. 저분은 이 학교에 몸을 담자마자 인성 장학을 역설하며 미래인재를 키우기 위해선 학업 성적보다 지도자로서의 인성을 갖춘 학생에게 장학금을 주어야 한다고 역설하셨습니다. 그리고 실제로 유력한 졸업생이나 기업인을 만나 자신의 주장을 피력하고 기부금을 받기 시작했습니다. 30여 년 전에 그 일을 시도했으니 주위 사람들이 얼마나 의아하게 봤겠습니까? 지금도 모든 학교에선 성적 위주의 장학금을 주고 있는데 말입니다. 그렇게 해서 인성장학재단이 만들어지고 지금까지 배출한 장학생이 1,000명이 넘습니다. 그만큼 장시간에 걸쳐 지도자를 키워놨다는 얘기가 되지요. 인성 장학금을 받은 졸업생들은 책임감 때문인지는 모르지만, 사회에 나가 무슨 일을 하든 일단 공동체의 이익을 우선하는 습성을 가지고 있습니다. 두각을 드러낸 사람도 있고 그렇지 못한 사람도 있지만 최소한 사회에 해악을 끼치는 일은 하지 않는다고 저는 믿고 있습니다."

원해의 설명을 듣고 있던 혜륜이 조심스럽게 말했다.

"그러니까 십만 양병을 주창만 한 게 아니라 실제로 십만 양병을 기른 거군요."

"그렇다고 볼 수 있죠. 지금 생각하니 그 일이 통일을 대비해서 하신 거 같습니다. 통일은 언제 어떻게 올지 아무도 모른다고 했습니다. 원하는 시기에 원하는 방법으로 오는 게 아니라는 거죠. 갑자기 올지도 모르는 통일에 대비해 그분은 미리 준비하고 계신 거 같습니다. 율곡이 십만 양병을 주창할 때 아무도 귀담아듣지 않았듯이 그분이 통일에 대한 얘기를 해도 별로 관심을 가지는 사람이 없습니다. 기득권층은 변화를 원하지 않는 속성이 있으니까요. 총장님도 알고 보면 외로운 분입니다. 외롭지 않은 듯이 살고 계시지만요."

"지금 강 박사님 말씀을 들으면서 궁금증이 생겼는데요. 보살도 외로움을 느낄까요?"

"그건 혜륜 씨가 보살이 된 후에 느껴보십시오."

원해는 혜륜을 보며 빙긋이 웃은 후

"두 분 다 바쁘지 않으면 제 사무실로 가시죠. 강릉에 있는 김태교 씨 아드님이 온다고 해서요. 향산이 한번 만나고 싶어 해서 제가 주선을 했습니다. 30분 정도 후면 제 사무실로 올 겁니다."

"한의대 다닌다는 그 친구 말입니까?"

"그렇습니다."

"저도 꼭 한번 만나고 싶었는데 오늘은 안 되겠습니다. 취재 약속이 잡혀 있어서요."

노 기자가 아쉬운 표정을 지으며 가방을 멨다.

"저는 괜찮아요. 전 갈게요."

혜륜도 가방을 메며 자리에서 일어났다. 맛있는 대화를 나눈 세 사람은 밝은 표정으로 교수 식당을 나왔다. 세상에서 가장 맛있는 건 맛있는 대화가 아닐까?

연구실 문을 열던 원해가 큰 소리로 말했다.

"손 교수님이 와 계셨군요. 오신 지 오래되셨습니까?"

"발길 닿는 대로 왔더니 혜륜 씨를 만나려고 온 거 같습니다."

손 교수가 원해 뒤에 서 있는 혜륜을 보며 말했다. 말하고 있는 목소리가 미세하게 떨렸다.

"저도 오늘 교수님을 뵙고 싶었는데 잘됐네요."

혜륜도 밝게 웃으며 손 교수와 마주 앉았다.

"두 분이 만날 일이 있었습니까?"

"그런 건 아니고요. 여백 회원들이 교수님 팬카페를 운영하고 싶다고 해서요."

"제 팬카페를요?"

"여백 회원 중에 음악 선생님이 계세요. 그분이 손 교수님 왕 팬인데 음악 선생님이 제안하셨어요. 자신이 회장을 맡을 테니 여백 회원들이 함께 카페를 운영하자고요. 그래서 손 교수님 동의를 구하려고 하세요."

"손 교수님 팬들은 얼마나 됩니까?"

원해가 관심을 나타내며 물었다.

"전 국민이 다예요. 시골에서 농사지으시는 아주머니부터 서울의 멋쟁이 아가씨까지, 막대기 하나인 장병에서부터

별 네 개의 사성장군까지. 초등학생부터 대학교수까지. 정치인, 직장인, 학생, 외교관, 공무원, 교사, 주부… 여백 회원들은 손 교수님이 대통령에 출마하시면 당선될 거라고 하면서 웃어요.”

혜륜의 말을 듣고 원해와 손 교수도 웃었다.

“그 정도면 정말 대통령에 출마해도 되겠는데요. 그런데 왜 그동안에는 팬카페를 만들지 않았습니까?”

“무르익으면 대통령에 출마하려고 미루고 있었습니다.”

손 교수도 밝게 웃었다. 웃고 나니 구름이 걷힌 것처럼 마음이 밝아졌다.

“카페를 만든다는 건 뭔가 일을 한다는 의미가 아닌가요? 친목이라든지.”

원해가 묻자 혜륜이 핸드폰 커버에서 사진 한 장을 꺼냈다. 온몸이 시퍼렇게 멍든 정인이 사진이었다. 사진을 들여다보던 원해와 손 교수가 동시에 상을 찡그리며 놀랐다

“그 사진을 왜 들고 다니십니까?”

“이 세상엔 정인이 같은 비참한 생명이 있다는 사실을 잊지 말자고 음악 선생님이 돌리셨어요. 음악 선생님이 팬카페를 통해서 하고 싶은 일은 학대받는 사람들을 돕는 거래요.”

“그 일이 팬카페를 통해서 가능합니까?”

“그럼요. 손 교수님 유튜브 다운 횟수는 300만 명이 넘어

요. 팬카페가 형성되면 회원제로 유튜브 방송을 듣게 하는데 회비는 한 달에 3천 원으로 하신대요. 3천 원이면 하루에 백 원이잖아요. 백 원으로 아리아, 오페라, 가곡, 가요, 민요, 한국 가곡, 동요까지 마음껏 들을 수 있는데 참여하지 않을 사람이 있겠어요?"

"그러니까 3백만 정도 회원이 생길 수 있다는 얘기군요."

"거의 그렇죠."

"그럼 한 달에 회원들이 내는 회비가 얼마나 됩니까? 그러니까 3백 만에서 동그라미가 6개, 3천 원에서 동그라미가 3개, 동그라미가 도합 9개고 3 곱하기 3이니까 9, 9에 동그라미 9개가 달리니 90억인가요?"

원해가 자신 없는 얼굴로 물었다.

"저도 잘 모르겠어요. 그런 계산은 해 본 적이 없어서요."

"와! 손 교수님 자산가치가 그렇게 큰 줄은 미처 몰랐습니다. 그 정도면 나라도 만들 수 있겠는데요."

"하하하. 오늘은 대형 애드벌룬이 뜨는군요. 대통령에 나라까지 만들 수 있다니 말입니다."

"놀라운 일입니다. 팬카페가 현실로 이루어지면 못 할 일이 없겠네요. 여백 회원들이 관리하면 믿을 수도 있고요."

"가까운 시일 안에 여백 회원들을 한번 만나 주세요."

"그러겠습니다. 혜륜 씨 부모님도 뵙고요."

"감사합니다. 저희 부모님도 좋아하실 거예요."

혜륜이 만족한 얼굴로 환하게 웃었다. 혜륜이 부모님 뵙는 일이 이렇게 이루어지는군. 손 교수는 세상일이 오묘하다고 생각했다.

"이 친구 올 때가 됐는데 제가 커피를 내리겠습니다."

원해가 자리에서 일어나 커피를 내리려고 가자

"누가 오기로 했습니까?"

손 교수가 자신이 있어도 되나, 하는 얼굴로 물었다.

"향산하고 김태교 씨 아드님이 오기로 했습니다."

"한의대 다닌다는 그 학생 말입니까?"

"네."

"저도 궁금했는데 잘됐군요."

가벼운 대화가 오고 갈 때 한 청년이 들어왔다. 키가 크고 수려한 외모였다.

"자네가 동혁인가?"

원해가 묻자

"그렇습니다."

청년이 허리를 깊게 숙이며 인사했다.

"반갑네. 자리에 가 앉게."

커피콩 가는 소리가 들리고 곧이어 커피 향이 실내에 은은히 퍼졌다. 잠시 후 원해가 커피잔이 담긴 쟁반을 들고 자리에 와 앉았다.

"지금 본과 4학년이라고 했지?"

"네."

"4학년이면…?"

4학년이면 졸업인데 그다음은 어떤 과정을 거치게 되나? 원해가 이런 질문을 하려고 할 때 향산이 들어왔다.

"모두 저를 쳐다보시니 제가 지각을 한 거 같습니다."

향산이 웃으며 자리에 앉았다.

"지각은 아니네. 커피 마시게."

원해가 웃으며 커피잔을 향산 앞에 놓았다.

"이 친구가 동혁이군. 반갑네. 만나게 돼서."

향산이 먼저 인사했다.

"제가 김동혁입니다. 불러 주셔서 감사합니다."

동혁이가 향산을 향해 깊게 머리를 숙였다.

"여기 계신 분들과는 앞으로도 계속 만나게 될 테니까 정식으로 인사를 드리지. 이 친구는 김태교 씨 아드님인 김동혁 군입니다."

향산이 동혁이를 소개하자 동혁이가 자리에서 일어나 깊게 허리를 굽히며 인사하고 자리에 앉았다.

"나는 자네를 초대한 향산이고, 커피를 주시는 강원해 박사는 이 연구소의 주인이면서 법철학을 강의하시는 교수님이

시네. 옆에 계시는 손지운 교수는 세계적인 성악가시고, 가장 젊고 아름다운 송혜륜 씨는 소설가시네. 모두 훌륭한 분들이니까 앞으로 많은 가르침을 받도록 하게."

"그렇게 하겠습니다. 많이 지도해 주십시오."

동혁이가 다시 한 번 깊게 머리를 숙이며 인사했다. 깍듯하게 예의를 지키는데 느낌은 당당했다. 그런 동혁이가 마음에 드는 듯 향산이 미소를 지으며 바라봤다.

"금년이 졸업반인데 졸업하면 그다음 과정은 어떻게 되는가?"

원해가 하려던 질문을 향산이 했다.

"한의대도 의대와 체재는 같습니다. 학부를 졸업하면 인턴, 레지던트과정을 거쳐 전문의가 됩니다. 전문의가 되면 개업을 하거나 한방병원에서 의사로 일할 수 있습니다."

"자네는 어떤 계획을 하고 있는데?"

"여건이 되면 대학원에 진학해서 약리학을 더 공부하고 싶습니다. 약리학 박사가 되는 걸 일차 목표로 정하고 있습니다."

"약리학이라니 본초학을 말하는 건가?"

"처음엔 본초학에 포함됐는데 지금은 약리학으로 따로 분리됐습니다."

"약리학은 어떤 내용이지?"

"한의학 이론에 근거하여 과학적 방법으로 식물, 동물, 광물 속에 포함되어 있는 약 성분을 채취해 인체에 미치는 영향을 연구하는 분야입니다."

동혁의 설명을 듣는 순간 그 자리에 있는 사람들은 모두 예경원의 약초를 떠올리고 있었다.

"일차 목표를 달성하기 바라네."

질문을 한 원해가 덕담을 담아 마무리했다.

"나누고 싶은 얘기가 많으실 거 같은데 혜륜 씨와 전 먼저 일어나겠습니다. 저희도 나누고 싶은 얘기가 많아서요."

손 교수가 자리에서 일어나며 말했다.

"그러십시오. 혜륜 씨가 좋은 정보를 줬는데 맛있는 저녁을 사 주십시오."

원해가 웃자

"그러겠습니다."

손 교수도 웃었다.

연구실을 나온 두 사람은 교정을 함께 걸었다. 그때 손 교수가 바바리 깃을 올리며 혜륜을 돌아다 봤다.

"춥지 않아요?"

"아니요. 전 춥지 않아요."

"그럼 좀 걸읍시다."

두 사람은 비탈진 언덕길을 내려왔다. 걸음을 옮기고 있는 손 교수 머릿속에 피멍이 든 정인이 모습이 떠올랐다. 손 교수는 뭔가 연상이 되는 듯 세차게 머리를 저었다. 그런 손 교수를 혜륜이 살며시 고개를 돌려 쳐다봤다.

"지금 무슨 생각을 하세요?"

"아주 끔찍한 생각이요. 아니 아주 슬픈 생각이요."

"그 생각이 뭔지 여쭈어봐도 될까요?"

"아니요. 말할 수 없어요."

손 교수가 절망적으로 답했다.

"…"

혜륜은 살며시 고개를 돌려 다시 한 번 더 손 교수를 쳐다보다가 고개를 돌렸다. 손 교수의 고통이 전이되는 듯 가슴 한끝이 저렸다.

"혜륜 씨 눈에는 내가 위선자처럼 보이지 않아요?"

"아니요. 왜 그런 말씀을 하세요?"

"사람들은 내 노래를 듣고 위안을 받는다 하는데, 내 가까이 있는 사람들은 나로 인해 고통을 당하고 있으니 말입니다."

"…"

혜륜은 무슨 말을 해야 할지 몰라 입을 다물고 걸음을 옮겼다. 그러자 손 교수도 더 말을 하지 않고 묵묵히 걸음을 옮겼다. 얼마쯤 그렇게 언덕을 내려오다 보니 자연스럽게 공원과 연결이 되었다.

"우리 여기 좀 걷다가 갑시다."

"네. 그렇게 해요."

두 사람은 산책로를 따라 걸음을 옮겼다. 숲길을 지나고, 놀이공원을 지나고, 연못을 지날 때까지 손 교수는 자신의 생각에 깊이 빠져 걸음만 옮기고 있었다. 혜륜은 그런 손 교수가 너무도 슬프게 보여서 그의 손을 살며시 잡았다. 그러자 손 교수가 정신이 돌아온 듯 혜륜을 돌아봤다.

"위로해 드리고 싶었어요. 너무 슬퍼 보여서요."

혜륜이 잡았던 손을 놓으며 말했다.

"우리 저 벤치에 가서 앉읍시다."

손 교수가 옆에 있는 벤치를 가리켰다.

"네."

두 사람은 벤치에 가 앉았다.

"봄이 오나 봅니다. 얼마 전에 여기를 지날 때는 저 물이 얼어 있었는데 오늘은 녹아 있군요."

"봄이 오고 있는 거 같네요."

"왔던 봄은 다시 가겠지요. 봄날은 간다. 그렇게요."

혜륜이 고개를 돌리며 미소 지으려 할 때 손 교수가 들릴 듯 말 듯 '봄날은 간다'를 불렀다.

연분홍 치마가 봄바람에 휘날리더라. 연분홍 치마… 연분홍 치마…, 언젠가 나는 이 여인에게 연분홍 치마를 입히고 싶었지! 손 교수 목소리가 떨리더니 두 눈 가득 눈물이 고였다. 혜륜이 숨을 죽이며 손 교수 눈을 보고 있을 때

"아! 이거였군요. 이제야 보이는 거 같습니다."

손 교수는 팔을 돌려 혜륜이 어깨를 꼭 감싸 안았다.

"한 번만, 딱 한 번만 혜륜 씨를 안아 보고 싶습니다."

손 교수가 혜륜을 더욱 세게 안을 때 두 눈에 가득 고였던 눈물이 뺨을 타고 흘러내렸다.

"이제야 보입니다. 안개 속에 가려 있던 우리의 진실이요."

우리의 진실, 우리의 진실은?

서점에 들러 필요한 책을 산 원해는 묶은 책을 들고 서점을 나왔다. 거리는 어둑해졌고 사람들은 바쁘게 움직이고 있었다. 주차장 쪽을 향해 걸음을 옮기고 있을 때 핸드폰이 울렸다. 발신자 메모가 없는 전화였다.

"여보세요."

"강 박사님이시죠?"

앳된 소녀 목소리가 다급하게 들렸다.

"그렇습니다. 누구시죠?"

"저 훈데요."

"네?"

"윤설화 씨가 저의 엄마예요. 전에 엄마하고 같이 연구실에 갔던…."

"이제 기억이 나는군. 그런데 무슨 일이 있어?"

"저희 엄마가 심근경색으로 의식을 잃으셨어요. 운전 중에 그래서 주위 사람들의 도움으로 병원에 입원하셨는데 수술을 하려면 보호자 사인이 필요하대요. 전 미성년자라서 안 되고 주위엔 사인을 해 줄 어른이 안 계세요. 그래서 박사님께 전화를 드렸어요. 엄마가 저를 데리고 가서 인사를 시켜준 어른은 박사님밖에 안 계셔서요."

전화 내용으로 봐 지금 어떤 상황이 벌어지고 있는지 짐작이 갔다.

"어머니가 계신 병원이 어디지?"

"서울대학병원 응급실이에요."

"알았어. 지금 곧 갈게."

원해는 핸드폰을 주머니에 넣고 주차장 쪽으로 급히 걸어

갔다.

주차장에 도착해 시동을 걸려던 원해는 총장님에게 먼저 이 사실을 알리는 게 도리라는 생각이 들었다. 윤설화 씨를 소개한 분이 총장님이었기 때문이다. 발신음이 몇 번 가자 '여보세요.'하는 총장 목소리가 들렸다.

"접니다."

원해는 왜 전화를 걸었는지 간단히 설명했다.

"주위에 어른이 그렇게 없단 말이야?"

"그런 거 같습니다."

"모든 사람이 다 보편적인 삶을 사는 건 아니니까 그럴 수도 있겠지. 강 박사가 얼른 가서 필요한 조치를 해. 내가 병원장한테 전화해 놓을 테니까."

"알겠습니다."

원해는 자동차 시동을 켜고 차를 몰기 시작했다. 다행히 길이 심하게 막히지 않아 30여 분 만에 병원 주차장에 차를 세울 수 있었다. 열 체크를 하고 안으로 들어간 원해는 응급실로 달려갔다. 간호사실에 확인해 보니 윤설화는 수술실로 옮겨져 수술을 받고 있었다. 환자 상태가 위급해 지체할 수 없었다고 했다. 원해는 안도하며 수술실로 갔다. 수술실 복도에 보호자들이 의자에 앉아 있거나 서성이고 있었다. 원해가 주의 깊게 살펴보니 전날에 보았던 여학생이 눈에 들어왔다.

여학생은 두 손을 무릎 위에 올려놓고 눈을 감고 있었다. 간절하게 기도를 드리고 있는 듯했다. 원해는 여학생 어깨에 가볍게 손을 얹으며 물었다.

"어머니가 수술실에 들어가셨어?"

여학생이 고개를 들고 원해를 쳐다보았다.

"박사님이시군요. 와 주셔서 감사합니다."

여학생이 자리에서 일어나며 고개를 숙였다.

"수술실에 들어가신 지 얼마나 됐어?"

"30분 정도 됐어요."

"수술 시간은 얼마나 걸린대?"

"확실하진 않은데 6시간에서 8시간 정도 걸리나 봐요."

"그렇게 오래?"

"…."

"우리 장소를 옮겨 얘기 좀 할까? 나도 내용을 알아야 도울 수 있는 방법을 찾을 수 있잖아."

후는 말없이 자리에서 일어났다.

"얘기할 수 있는 장소가 어디 있을까. 휴게실을 찾아봐야겠지?"

원해가 앞장을 서자 후가 따라왔다. 안내판을 따라 이리저리 걷다 보니 휴게실이 나왔다.

"우리 저기 가서 얘기를 좀 하지."

원해가 안으로 들어가자 후도 따라 들어왔다. 음료수와 케이크를 팔고 있었다.

“커피 마실래? 아니면 다른 음료수를 마실래?”

“선생님하고 같은 거요. 제가 살게요.”

후가 정신이 드는 듯 몸을 돌리며 말했다.

“자리에 앉아 있어. 내가 살게.”

원해가 미소를 짓자 후는 안정이 되는 듯 자리에 앉았다. 잠시 후, 원해가 커피 두 잔과 약간의 케이크를 들고 와 자리에 앉았다.

“지금부터 후도 체력 싸움을 해야 해. 많이 먹고 편하게 마음을 가져야 어머니를 지킬 수 있어.”

“엄마는 깨어나실 수 있을까요?”

“물론 깨어나실 수 있지. 그렇지 않았으면 수술실에 못 들어가셨을 테니까.”

원해 말을 듣고 후가 후— 하고 안도의 숨을 쉬었다.

“어머니를 병원으로 오게 도와준 사람들이 고맙군. 심근경색은 분초를 다투는 시간과의 싸움인데.”

“….”

후는 말없이 고개를 끄덕였다. 미처 거기까지는 생각지 못했는데 엄마를 병원에 입원시켜 준 모든 사람이 고맙게 느껴졌다.

"아버진 안 계셔?"

원해가 조심스럽게 물었다.

"처음부터 안 계셨어요."

원해는 좀 머쓱해하다가

"친척은?"

"엄마는 계셨는지 모르지만 전 처음부터 없었어요."

원해는 어떻게 대화를 풀어 가야 할까를 고민하다가 조심스럽게 물었다.

"후는 엄마를 사랑해?"

"제가 엄마를 사랑한다는 걸 오늘 처음 알았어요. 흑—."

후가 두 손으로 얼굴을 가리고 흐느껴 울기 시작했다. 원해는 더 이상 말을 하지 못하고 후를 바라봤다. 얼굴을 가리고 있는 손가락 사이로 눈물이 흘러내렸다. 잠시 그렇게 운 후가 휴지로 눈물을 닦았다.

"엄마는 언제쯤 정신이 돌아올까요? 저를 언제쯤 알아볼까요?"

"그건 수술 결과를 봐야 알겠지. 나로서는 말할 수 없는 일이야."

"아…."

후가 괴로운 듯 두 손으로 가슴을 눌렀다. 원해는 할 말을 찾지 못하고 잠시 앉아 있다가 조심스럽게 물었다.

"지금 집엔 누가 있어?"

"일하는 아주머니요. 우리나라 사람이 아니에요."

후가 의외의 말을 했다.

"그럼 외국인이야?"

"외국인은 아닌데 국적은 달라요."

그 말을 듣는 순간 이상하게 불안감이 느껴졌다. 환자가 완치돼서 집으로 돌아가려면 몇 개월이 걸릴지도 모르는데… 그동안 괜찮을까?

"도우미 아주머니는 믿을 수 있는 사람이야?"

"전 잘 모르지만 엄마는 늘 경계하고 의심해요."

"그 아주머니는 엄마가 병원에 입원한 걸 알고 있어?"

"아니요. 아직 알리지 않아서 모를 거예요."

"후는 도움을 청할 어른이 주위에 아무도 없어?"

"저한테 수학을 가르쳐 준 선생님이 계셨는데 얼마 전에 그만뒀어요. 지금은 연락이 안 돼요."

고립무원(孤立無援)이라더니, 이렇게 혼자인 경우도 있구나. 어린 소녀가. 그 생각을 하는 순간 자신이 후의 보호자 역할을 해야 한다는 생각이 들었다.

"우리 정리 좀 하자. 오늘 일어난 일 중에서 엄마를 병원에 빨리 입원시킬 수 있었던 건 행운이야. 그렇지?"

"네."

"나와 연락이 닿아 내가 이리로 달려온 것도 행운이야. 그렇지?"

"네."

"뿐만 아니라 총장님도 엄마가 이 병원에 입원한 걸 알고 계시거든. 총장님이 병원장님에게 연락을 해 주신다고 했으니 엄마는 가장 좋은 진료를 받을 수 있을 거야. 이것도 행운이지?"

"총장님도 엄마 일을 알고 계세요?"

"응. 내가 말씀드렸어. 그러니까 후에게는 지금 행운이 겹쳐 있는 거야. 지금 내가 한 말 인정하지?"

"네."

"지금부터는 후가 엄마 보호자야. 후가 정신을 똑바로 차리고 엄마를 보호해 드려야 해. 그러려면 끼니 꼭 챙겨 먹고 휴식도 취해야 해. 내가 옆에서 도와줄게."

"감사합니다."

후가 진심을 담아 고개를 숙였다.

"여기 있는 빵 먹고 수술실로 가자. 보호자를 찾을지 모르니까."

"네."

원해가 먼저 케이크를 먹자 후도 케이크 조각을 집어 들었다. 원해는 이 일을 어떻게 수습해 가야 할까를 고민하다

노 기자를 떠 올렸다. 노 기자하고 상의하는 게 가장 좋을 거 같았다. 노 기자는 사회부 기자로 다양한 경험을 했다 하니 의논 상대로는 노 기자 이상 가는 사람이 없을 거라는 확신이 들었다.

16

생명의 실상, 법석을 차리다

8 부동지

8. 부동지

해인스님이 결가부좌를 하고 법석에 앉아 계신다. 스님 주위가 고요하다. 고요함이 향기롭다. 반안(半眼)을 뜨고 정좌하고 계신 스님 모습이 아름다워 숨이 막힌다. 대중은 그런 스님을 경건한 마음으로 바라본다. 잠시 후 선정에서 깨어나신 스님은 대중을 둘러본다. 상지 보살, 불화장, 박 총장, 향산, 노 기자, 송혜륜, 강원해, 손 교수, 수희 모습이 차례로 시야에 들어온다. 해인스님은 미소를 지으며 한 사람 한 사람을 바라보다가 조용히 입을 여신다.

오늘은 화엄경 10지품 중 8번째인 부동지 법문을 하겠습니다. 지난 시간에도 말씀을 드렸지만 제8지인 부동지와 제7지인 원행지는 10지품 전 과정 중에서 가장 중요한 두 품이라고 할 수 있습니다. 제8지 부동지는 부처의 집에 첫발을 들여놓는 자리고, 제7지 원행지는 보살의 집에서 마지막 발을 떼는 자리이기 때문입니다. 그럼 제8지 부동지 법문에 들어가기 전에 지난 시간에 공부했던 제7지 원행지에 대한 법문을 다시 떠올려 보시기 바랍니다. 투철한 공의 인식을 통해 내면에서 지혜의 광명을 발할 수 있는 원행지보살은 자신이 뿜어내는 지혜에 의해 대상을 통찰할 수 있는 힘을 얻게 됩니다. 이런 통찰의 힘을 얻은 원행지보살은 중생의 세계, 중생업의 세계, 중생 마음의 작용 세계, 국토의 세계, 성문의 세계, 연각의 세계, 보살의 세계, 보살행의 세계 등을 통찰합니다. 이렇게 각각의 세계를 통찰하던 보살은 새로운 사실을 발견하고 놀라게 됩니다. 그건 자신이 통찰한 세계가 부처님에 의해 정화되고 인도되고 체득된 세계라는 사실을 안 것입니다. 이 말을 바꾸어서 하면 현실 세계는 곧 부처의 세계고 진리의 세계라는 사실입니다. 지금까지 진리의 세계인 법계와 중생계인 현상계는 엄연히 다른 것으로 알고 있던 보살은 법계와 현상계가 표리일체를 이루고 있는 하나의 세계라는 사실을 안 것이지요. 여기서 알았다는 말은 머리로 알았다는 말이 아니고 온몸으로 증득했다는 말입니다. 이런 사실을 안 원행지보살은 현상계 안에서 부처의 세계를 장엄시키겠다는 결의를 세우고 수행에 전념합니다. 이런 결의를 세운 보살은 신(身) 구(口) 의(意)를 통해 찰나 찰나 10바라밀을 드러내고 회향합니다. 행주좌와 한순간도 놓지 않고 도의 실현을 위해 노력하게 되지요. 보살의 몸과 마음은 이미 적멸(寂滅)에 들어갔음에도 그는 모든 가르침을 현실 속에서 쉼 없이 실천에 옮기는 것입니다. 이것이 지난번에 설명한 제7지 원행지보살의 모습입니다. 이렇게 철저하게 보살 수행을 마친 보살은 마침내 제8지인 부동지에 이르게 됩니다.

제8지인 부동지(不動地)는 부처의 집 안으로 들어온 자리입니다. 부처의 세계에 첫발을 들여놓았다는 얘기지요. 지금까지 보살은 불지(佛地)를 향해 쉼 없는 정진을 해 왔습니다. 그러던 보살이 마침내 불지에 첫발을 들여놓게 되었으니 보살로서는 목표를 달성했다고 할 수 있겠지요. 보살의 고향인 부처님 세계로 공수환향(空手還鄕) 하였으니 말입니다. 공수환향이란 빈손으로 고향에 돌아왔다는 뜻입니다. 그런데 경전에서는 이때 무수한 부처님이 나타나 보살에게 훈시하시는 것으로 되어 있습니다. 그 훈시는 다음과 같은 내용입니다.

기특하다. 기특하다. 보살이여! 그대는 일체의 불법을 믿고 따르는 것에 의해 궁극적인 지혜를 얻었다. 이것은 얼마나 훌륭한 일인가! 그러나 보살이여, 그대는 아직 부처가 지닌 십력(十力), 사무소외(四無所畏), 십팔불공법(十八不共法)을 얻지 못했다. 부디 보살이여, 이런 불덕(佛德)을 완성하고자 노력하라. 그대가 얻은 궁극적 지혜를 버려서는 안 된다.

또 보살이여, 그대는 적멸의 해탈을 이미 얻었거니와 모든 사람이 그런 것은 아니다. 그들은 항상 번뇌로 말미암아 괴로워하고 있다. 그대는 자애의 마음으로 이들을 해탈케 하라. 또 보살이여, 중생을 위한 활동을 완성하는 일과 불가사의한 지혜를 얻겠다는 그대 본래의 서원을 다시금 생각하라. 또 보살이여, 부처님들이 세상에 나타나시든 나타나시지 않든 진리 자체와 세계의 안정은 이미 결정되어 있는 바이다. 그러므로 부처님만이 그 진리를 얻음으로써 부처가 된 것이 아니라 성문과 연각, 보살 또한 분별을 떠난 이 자리를 얻고 있는 것이다.

또 보살이여, 그대는 우리 부처님들이 신체가 무량하다는 것을, 지혜가 무량하다는 것을, 국토가 무량하다는 것을, 광명이 무량하다는 것을 잘 관찰하라. 그리고 그대도 이렇게 되고자 노력하라. 또 보살이여, 그대는 일체법 무분별의 광명을 얻은 바 있다. 그러나 부처님의 광명은 무량하여 무제한으로 번지고 무제한으로 만들어진다. 그러므로 그대의 광명도 그렇게 되도록 힘쓰라. 또 보살이여, 시방세계에 있는 무량한 국토, 무량한 중생, 무량한 사물의 차별을 잘 관찰하라. 그리고 그것에 입각하여 보살행의 완성을 기하라.

경전 내용에서 보신 바와 같이 부처님들은 보살의 지혜를 칭찬한 다음 거기서 멈추지 말고 부처님들의 세계까지 올라오도록 독려하고 있습니다. 그뿐 아니라 그렇게 되는 것은 보살 본래의 서원임을 상기시키고 있습니다. 부처님의 세계는 10지품 부동지에 명시한 대로 십력(十力), 사무소외(四無所畏), 십팔불공법(十八不共法) 같은 부처님들만이 지닌 능력이나 성질을 말합니다. 십력은 부처님에게만 갖추어져 있는 열 가지 힘으로 1. 바른 도리와 그렇지 않은 도리를 판별하는 능력인 처비처지력, 2. 갖가지 선악의 업과 그 과보를 아는 능력인 업이숙지력, 3. 갖가지 선정의 단계와 특징을 아는 능력인 정려해탈등지등지지력, 4. 중생 근기의 고하와 우열을 아는 능력인 근상하지력, 5. 중생의 온갖 소망을 아는 능력인 종종승해지력, 6. 중생과 여러 법의 본성을 아는 능력인 종종계지력, 7. 갖가지 업을 지은 중생이 가는 곳을 아는 변취행지력, 8. 전생의 일을 생각해 내는 능력인 숙주수념지력, 9. 중생이 죽어서 어디에 태어날지를 아는 능력인 사생지력, 10. 모든 번뇌가 끊어진 상태와 그것에 도달하기 위한 수단을 아는 누진지력입니다.

그리고 사무소외는 부처님이 설법을 하실 적에 두려움이 없는 네 가지 자신감으로 1. 온갖 현상을 다 알고 있다고 말하는 것에 두려움이 없는 정등각무소외, 2. 모든 번뇌를 다 끊었다고 말하는 것에 두려움이 없는 누영진무소외, 3. 끊어야 할 번뇌에 대해 설하는 일에 두려움이 없는 설장법무소외, 4. 괴로움을 멸하는 길을 설함에 있어 두려움이 없는 설출도무소외입니다.

십팔불공법은 부처님에게만 있는 열여덟 가지 공덕으로 1. 몸으로 짓는 행위에 있어 잘못이 없는 신무실, 2. 말을 함에 있어 잘못이 없는 구무실, 3. 생각에 잘못이 없는 염무실, 4. 일체중생을 차별하지 않는 무이상, 5. 항상 선정에 들어 있어 산란하지 않는 무부정심, 6. 무지 때문에 평정한 마음을 잃지 않는 무부지이사심, 7. 중생을 제도하려는 마음이 줄어들지 않는 욕무감, 8. 중생을 제도하는 일에 멈춤이 없는 정진무감, 9. 기억하는 힘이 줄어들지 않는 염무감, 10. 지혜가 줄어들지 않는 혜무감, 11. 해탈이 줄어들지 않는 해탈무감, 12. 일체 번뇌의 속박에서 해탈했다는 지견이 줄어들지 않는 해탈지견무감, 13. 모든 신업에 지혜가 수반하는 일체신업수지혜행, 14. 모든 구업에 지혜가 수반하는 일체구업수지혜행, 15. 모든 의업에 지혜가 수반하는 일체의업수지혜행,

16. 지혜로써 과거의 일을 모두 통달하여 하등의 장애가 없는 지혜지견과거세무애무장, 17. 지혜로써 미래의 일을 모두 통달하여 하등의 장애가 없는 지혜지견미래세무애무장, 18. 지혜로써 현재의 일을 모두 통달하여 하등의 장애가 없는 지혜지견현재세무애무장입니다.

십력이나 사무소외 십팔불공법은 부처님만이 가지고 있는 능력이나 성질이므로 이것을 깊이 깨달아 아는 일은 아주 중요합니다. 하지만 그 내용을 지금 여기서 다 설명하면 난해해 이해하기 어려우므로 여러분들 각자가 참고할 문헌을 찾아 차근차근 공부해 가시기를 바랍니다.

제8지 부동지의 특징은 무공용(無功用)의 실현입니다. 무공용의 실현이라 함은 보살 자신이 개아성(個我性)을 떠나 부처님과 동화됨으로써 힘들이지 않고 저절로 불도를 이루어 간다는 뜻입니다. 보살과 부처가 한 몸이 돼서 일체지지(一切智智)를 향해 항해를 해 가는 것을 뜻하지요. 경전에서는 이 광경을 이렇게 설명하고 있습니다. '제1지 환희지에서 제7지 원행지에 이르기까지 보살이 기울인 노력을 다 합쳐도 제8지 부동지에서 부처님과 함께한 노력에 비하면 백 분의 일, 천 분의 일, 백억 분의 일, 천억 분의 일에도 미치지 못한다. 왜냐하면 부처님 속에 동화된 보살은 무량한 신체, 무량한 음성, 무량한 지혜에 의해 보살행을 실천해 가기 때문이다.' 경전은 또 다음과 같은 비유를 들어 그 광경을 설명하고 있습니다. '배가 바다를 향해 나아갈 때는 노를 저어야 하지만 일단 바다에 이르면 노를 쓸 필요가 없게 된다. 돛대를 다는 것만으로 항해를 할 수 있기 때문이다. 더욱이 해상에서의 속도는 강에서 노를 저을 때와는 비교가 안 될 만큼 빠르다. 이와 마찬가지로 보살이 부처님과 동화된 이후에는 부처님들의 힘에 의해 불도를 닦는 일이 무공용(無功用)으로 이루어지기 때문에 보살 일신의 노력과는 비교를 할 수 없다.'라고 했습니다. 이렇게 해서 제8지에 도달한 보살은 무공용에 의해 일체지지(一切智智)를 관찰하게 됩니다.

보살은 세계나 사회의 생성 소멸의 과정, 세계나 사회를 움직이는 업의 상태, 지(地) 수(水) 화(火) 풍(風)의 갖가지 성질이나 그 원자의 상태, 중생신이나 국토신의 원자의 상태, 중생신의 추신(눈에 보이는 신체) 세신(눈에 보이지 않는 미세한 신체)의 상태, 지옥 아귀 축생 아수라 인천의 갖가지 상태, 욕계 색계 무색계의 생성 소멸의 과정 등을 인식합니다.

또 보살은 중생의 갖가지 몸, 중생의 갖가지 마음가짐, 중생의 갖가지 이해 정도에 따라 자신의 몸을 여러 가지로 나타냅니다. 즉 보살은 승려의 집단을 대하면 승려의 모습으로 나타내고, 다른 구도자들을 만나면 그들의 모습으로 나타냅니다.

왕족에 대해서는 왕족의 모습으로, 서민에 대해서는 서민의 모습으로, 상인에 대해서는 상인의 모습으로, 재가 신자에 대해서는 재가 신자의 모습으로 나타냅니다. 모든 대상에 따라 그 대상에 맞게 몸을 나타내는 것입니다. 뿐만 아니라 사왕천 도리천 야마천 도솔천 화락천 타화자재천 등의 제천에 대해서는 각기 제천에 맞게 모습을 나타내고, 성문 연각 보살 부처님 중의 하나로 수련을 해야 하는 중생에게는 그런 모습으로 나타냅니다. 바꾸어 말하면 보살은 상대의 마음가짐에 응해 거기에 맞게 자신의 모습을 나타내는 힘을 얻게 된 것입니다. 이런 보살의 힘은 보살 자신의 노력에 의해 얻어진 것이 아닙니다. 보살 자신의 모든 노력이 스러진 대신 부처님의 힘, 비로자나불의 크나큰 힘에 의해 얻게 된 것입니다. 보살의 인격은 부처님의 대해(大海) 속에 그대로 동화된 것이라 할 수 있습니다. 제7지 원행지보살과 제8지 부동지보살을 세밀하게 비교 분석해 보면 부동지보살에 대한 이해가 더 깊어질 수 있을 것입니다. 꼭 그렇게 해 보시기를 당부드립니다.

이것으로 미흡하나마 제8지 부동지에 대한 법문을 마치겠습니다. 이해되지 않는 부분이 있으면 자리를 옮겨 함께 토론함으로써 보완해 가도록 하십시오.

법문을 마친 해인스님은 좌중을 향해 미소 지으며 합장했다. 선우에 대한 예경의 마음을 가득 담아서다. 좌중은 깊은 감동 속에서 스님을 우러러보며 합장배례했다. 스승에 대한 지극한 예경의 마음을 담아서다. 아름답고 향기로운 법석, 부처님과 교류하고 있는 것 같은 충만감이 장내를 가득 메웠다.

노 기자는 조용히 자리에서 일어나 방송 장비를 정리했다.

"상진아, 왜 여기 있어?"

수희가 놀라며 물었다.

수희 목소리를 듣고 고개를 돌리던 상진이가 천진난만하게 웃으며 다가와 불화장 팔을 꼈다. 그러자 불화장도 상진이와 별반 다를 바 없는 웃음을 웃으며 상진이 어깨를 감쌌다. 놀라우면서도 흐뭇한 그들 모습을 지켜보면서 모두 미소를 지었다.

"좋은 감정은 바람을 타고도 전달이 되는가 보죠. 누가 다리를 놔 준 것도 아닌데 저렇게 금방 친해지는 걸 보면요."

상지 보살이 웃으며 멀어져 가는 두 사람을 바라보았다.

"재미있군요. 친해져야 할 두 사람 같습니다."

총장이 웃으며 거들었다.

"그런 거 같습니다. 어서 들어가시죠. 주지 스님이 기다리고 계실 텐데요."

상지 보살이 걸음을 옮기자 모두 주지실 쪽으로 몸을 돌렸다. 조금 걸으니 전날에 왔던 주지실이 나왔다.

"저희 왔습니다."

수희가 왔음을 알리자 문이 열리고 주지 스님이 마루로 나왔다.

"어서 들어오십시오. 기다리고 있었습니다."

반갑게 인사를 나누며 안으로 들어간 일행은 적당히 자리를 잡고 앉았다. 정갈한 방 가운데 찻상이 있고 그 위에 다기가 가지런히 놓여 있었다.

"법문은 잘 들으셨습니까?"

주지 스님이 차를 내리며 물었다.

"네, 잘 들었습니다. 제8지부터 부처의 세계라는 말이 실감 났습니다. 화신(化身)이 가능하니 말입니다."

원해가 말했다.

"저도 여기서 영상을 보면서 같은 생각을 했습니다."

주지 스님이 내린 차를 일행 앞에 놓아 주며 미소 지었다. 수희가 다관을 들어 상지 보살 앞에 놓자 상지 보살이 자신의 잔에 차를 따르고 다관을 옆으로 돌렸다. 그러자 모두 상지 보살처럼 자신의 잔에 차를 따르고 다관을 옆으로 돌렸다. 잠시 후 차가 담긴 찻잔이 몫몫이 놓였다.

"차를 드십시오. 숨까지 조절하면서 차 맛을 살리려고 애를 썼습니다."

주지 스님이 찻잔을 들며 웃자 모두 미소를 지으며 차를 마셨다.

"저는 불교 공부가 깊지 않아 모르는 게 많습니다. 화신이라고 하셨는데 화신이 어떤 내용인지 설명을 좀 해 주십시오."

차를 마신 향산이 찻잔을 찻상 위에 놓으며 물었다.

"화신은 말 그대로 몸을 바꾼다는 뜻입니다. 저도 오늘 스님 법문을 들으면서 생각해 봤는데 몸을 바꾼다는 것은 요술쟁이처럼 여자가 됐다 남자가 됐다 임금이 됐다 서민이 됐다 하는 게 아니라, 제도할 대상의 필요에 따라 그렇게 느껴지도록 하는 게 아닐까, 하는 생각이 들었습니다."

"스님 말씀을 들으니 이원섭 선생님에게 들었던 말이 생각납니다. 제가 서울에서 한참 바쁘게 살 때였으니 40년쯤 전 일 같습니다. 이 선생님은 차를 마시면서 이런 말씀을 하시더군요. 부인과 몹시 다투고 집을 나섰는데 갈 데가 없더랍니다. 그래서 목적지도 없이 차를 타고 여행을 하기 시작했는데 선생님은 주로 완행버스를 타고 전국을 돌았다고 합니다. 경기도, 충정도, 경상도 그러다 보니 전라남도까지 가게 됐답니다. 전라남도에서 완행버스를 타고 내리기를 반복하며 돌고 있었는데 어느 마을에 버스가 서더랍니다. 그래서 무심히 창밖을 내다보니 뚱뚱한 시골 아주머니가 버스에 타고 있는 딸을 향해 손을 흔드는데 그 아주머니 모습이 관세음보살 같더랍니다. 관세음보살 같다고 생각하면서 아주머니를 바라보는데 가슴속에 응어리졌던 얼음덩어리가 녹는 것처럼 눈물이 쏟아지면서 아내한테 느꼈던 서운한 감정이 다 사라지더랍니다. 그래서 집으로 돌아왔다고 하시더군요. 그러면서 선생님은 그 순간 관세음보살이 아주머니한테 현신하셔서 자신의 감정을 정화해 주신 것 같다고 하시더군요. 화신이란 바로 그런 게 아닐까요?"

상지 보살이 좌중을 둘러보며 물었다.

"보살님 말씀을 듣고 나니 바로 이해가 됩니다. 화신이란 말이 무얼 설명하는 것인지가요."

향산이 밝은 표정으로 답했다. 그러자 모두 같은 표정을 지으며 상지 보살을 바라봤다.

"보살님이 화신불 설명을 아주 잘해 주셨습니다. 저도 보살님의 설명을 듣고 나니 불보살님들이 어떻게 화신불로 나투시는지 확실히 이해되었습니다."

주지 스님은 이렇게 대화를 마무리 짓고 나서 회의 주제를 설명했다.

"오늘 예경 회원들을 모시고 회의를 하려고 하는 것은 부처님오신날에 달 등에 관해서입니다. 며칠 전 큰스님께서 상지 보살님과 저를 불러 이렇게 말씀하시더군요. '금년엔 북한에 있는 우리 동포가 행복하기를 축원하는 등을 다는 게 어떻겠습니까?' 그 말씀을 듣는 순간 상지 보살님과 저는 예경 회원들과 상의해서 추진해 보라는 말씀으로 받아들였습니다. 그래서 오늘 이렇게 자리를 마련하게 됐습니다."

주지 스님의 말을 듣고 난 예경 회원들은 서로 얼굴을 보며 무언으로 동의를 구했다.

"모두 동의하시는 거 같은데, 저도 동의합니다. 혹시 반대 의견을 가지고 계신 분은 안 계시는가요?"

총장이 좌중을 둘러보며 묻자 모두 웃으며 고개를 저었다. 그런 사람은 없다는 뜻이다.

"그럼 모두 찬성한 걸로 하고 구체적인 방법을 의논해 보시지요. 회의 진행은 주지 스님이 하십시오."

총장이 바통을 주지 스님에게 넘겼다.

"아닙니다. 이 일은 예경 회원들이 주체가 돼야 할 테니 예경회에서 회의 진행을 맡으십시오."

주지 스님이 사양했다.

"그럼 제가 맡겠습니다. 북한 동포의 행복을 축원하는 등을 달라는 말씀을 듣는 순간 세상일이 참으로 오묘하다는 생각이 들었습니다. 마치 무대 뒤에 위대한 연출자가 숨어서

거대한 드라마를 진행해 가는 것처럼 말입니다. 지금까지 향산재단이 주체가 돼서 북한에 있는 자신의 친구가 행복하기를 빌며 백만 원짜리 적금 붓는 일을 해 오고 있습니다. 향산재단은 특수한 성격을 띠고 있기 때문에 전 교직원이 적극적으로 참여해 큰 성과를 거두고 있습니다. 우리 학교에서도 인성재단이 중심이 돼서 그 일을 함께해 오고 있습니다. 신학기부터는 우리 학교에서도 전 교직원을 중심으로 그 일을 확대해 가려 합니다. 자리가 잡히면 두 학교 다 졸업생 재학생 학부모까지 동참자를 확대해 가려는 계획을 세우고 있습니다. 하지만 등은 생각지 못했습니다. 만약 북한에 있는 나와 생년월일이 같은 미지의 친구가 행복하기를 빌며 부처님오신날에 등을 하나씩 달게 한다면 많은 동참자가 나오리라 생각합니다. 많은 동참자가 나온다는 것은 북한 동포의 행복을 비는 마음이 국민 속으로 녹아들어 남북통일의 주체가 국민, 즉 한반도에 사는 국민이 될 수 있다는 얘기와 같습니다. 서로 애정을 가지고 행복을 축원한다면 가슴과 가슴이 열리게 되지 않겠습니까? 그런 속에서 진정성을 담고 서로 노력해 간다면 한반도에 사는 국민이 한반도 통일의 진정한 주인이 될 수 있다고 봅니다. 그렇게 되면 어떤 외부의 정치 세력도 한반도 통일에 함부로 손을 댈 수 없을 겁니다. 그런 의미에서 북한 동포의 행복을 축원하는 등을 다는 것은 아주 고무적인 일 같습니다."

원해의 열정적인 설명을 듣고 있던 사람들은 긍정하는 얼굴로 고개를 끄덕였다. 외부의 어떤 정치 세력도 함부로 손을 댈 수 없다는 말에 더욱더 공감이 갔다.

"등 값은 얼마로 합니까?"

노 기자가 물었다.

"보편적으로 3만 원 정도 합니다."

주지 스님이 대답했다.

"재료비를 뺀다 해도 등 수가 많으면 통일기금으로 적립하는 일이 가능하겠습니다."

"그럴 수 있겠지요."

"가정을 이끌어 갈 때도 가족들의 마음만 가지고는 안 되지 않습니까? 물질이 따라야지요. 한반도 통일에 국민이 주체가 되려면 거기엔 반드시 물질이 따라야 한다고 봅니다. 그런 의미에서 등도 하나의 대안이 될 수 있다고 봅니다. 불교인들의 마음과 물질을 다 담을 수 있으니 말입니다."

"좋은 말씀을 해 주셨습니다. 통일이 될 때까지 지속해서 해 가면 큰 힘이 될 거 같습니다. 하다 보면 불교계 전체가 동참할 수도 있고 불교인이 아니더라도 동참할 수 있을 테니까요."

"지금 떠오른 생각인데 이렇게 하면 어떻겠습니까? 법운사에 한반도 모양의 조형물을 만드는 겁니다. 등 수가 많으면 예경다원까지 포함해서요. 거대한 한반도 모형을 만들고 거기에 등을 달면 장관이 되지 않겠습니까?"

노 기자가 흥분하며 말하자 모두 동의하는 표정을 지었다. 그러면 정말 장관이겠는데요, 하는 표정을 지으면서.

"그건 안 됩니다."

상지 보살이 단호하게 반대 의사를 밝혔다. 그러자 모두 의아한 표정으로 상지 보살을 바라봤다.

"소탐대실이라는 말이 있지 않습니까? 그렇게 하면 소탐대실이 됩니다."

"…?"

"불교인들은 좋아할 수 있겠지요. 연등이 한반도를 가득 메우고 있다면 말입니다. 하지만 불교인들이 아닌 쪽에서 바라본다면 얼마나 경악스럽겠습니까? 그건 입장을 바꿔 생각해 보면 금방 이해가 되실 겁니다."

상지 보살 설명을 듣고 모두 무안해하는 표정을 지으며 고개를 끄덕였다. 한반도 전체에 십자가나 다른 상징물이 가득 채워져 있는 걸 본다면 불교인들의 기분이 어떨까를 생각하면서.

"그럼 무궁화나 태극기로 바꿔서 하면 어떻겠습니까?"

노 기자가 아쉬운 듯 다시 물었다.

"그건 더욱 안 되지요. 만약 북한에서 인공기나 진달래로 한반도 전체를 덮은 조형물 만든 걸 우리가 본다면 우리의 기분이 어떻겠습니까? 끔찍하지 않겠습니까?"

"그렇군요. 그럴 거 같습니다."

노 기자가 수긍하며 웃자 모두 따라 웃었다.

"그럼 어떻게 하는 게 좋겠습니까?"

노 기자가 상지 보살을 보며 물었다.

"어떻게 하는 게 가장 좋을까요?"

상지 보살이 좌중을 둘러보며 미소를 지었다.

"한반도 조형물을 빼고 그냥 연등을 자연스럽게 달면 좋겠습니다. 등 수가 많으면 예경원에 있는 약초에도 달고요. 북한에 있는 친구가 진정으로 행복하기를 빌며 등을 단다면 그 자체가 장관일 거 같은데요."

혜륜이 조용히 말했다. 그러자 모두 혜륜의 말에 찬성하는 표정을 지었다. 그렇군. 그러면 되겠군.

"좋습니다. 혜륜 씨에게 완패를 했는데 제힘으로 기사회생하겠습니다. 저는 이 내용을 언론매체를 통해 대대적으로 홍보하겠습니다. 외신에도 보도 자료를 주고요."

노 기자가 두 주먹을 불끈 쥐며 외치자 모두 소리를 내서 웃었다.

"큰 틀의 합의는 이루어진 거 같으니 세부적인 건 차차 보완하기로 하고 우리 집으로 모두 가시지요. 손주 셋이 상급학교에 입학하게 돼서 제가 조촐하게 자축의 자리를 마련했습니다."

상지 보살이 웃으며 자리에서 일어났다. 손주 셋이라고? 송이 상진이 말고 또 누가 있지?

입춘이 지나면서 예경원 뜰에도 봄기운이 살포시 내려와 있다. 어디서부터 온 것일까? 이 감미로운 촉감은. 예경 회원들은 약초 사이로 난 오솔길을 따라 안으로 걸어 들어갔다. 담소를 나누며 걷다 보니 상지 보살이 거처하는 집이 나왔다.

"어머! 저것 좀 보세요."

혜륜이 웃으며 앞으로 다가갔다. 송이가 '봄이 막 왔네요.'라는 나무 조각을 들고 생긋 웃고, 그 옆에 상진이가 '밝은 기운 가득 받으세요.'라는 나무 조각을 들고 씩 웃고 있다. 그 가운데 앳된 소녀가 두 팔을 벌려 송이와 상진이 허리를 감싸고 활짝 웃고 있다. 웃고 있는 아이의 양쪽 송곳니가 빠져 있어 보는 사람으로 하여금 미소를 짓게 했다. 세 아이 전신상이 담긴 사진을 패널로 만들어 마당 가운데 세워 놓은 것이다.

"저건 입춘대길 건양다경 아닙니까?"

노 기자가 웃으며 바라봤다.

"그러네요. 세 아이가 봄을 부르는 정령(精靈)이군요."

향산이 미소 지으며 응수했다. 봄을 부르는 정령이라는 말을 듣는 순간, 손 교수는 자신의 가슴이 철렁 내려앉는 걸 느꼈다. 아내 배 속의 아이가 피멍이 든 채 꼬부리고 있는 환영과 봄을 부르는 정령이라는 말이 뒤엉켜 머릿속을 어지럽혔다.

"제 딸이에요. 이번에 중학교에 입학해요."

수희가 웃으며 소개했다. 저 아이가 상지 보살이 말씀하신 세 번째 손녀구나! 사람들은 웃으며 앳된 소녀를 바라봤다.

"송이가 데려온 미랑인데 엄마가 보육원에 맡기면서 생일날 꼭 데리러 온다고 약속을 했나 봐요. 그래서 미랑이는 생일만 되면 대문 앞에서 꼼짝도 하지 않고 늦게까지 엄마를 기다렸대요. 미랑이를 안타깝게 여긴 송이가 여기로 데려왔어요. 그래서 보살님이 세 번째 손녀로 삼은 거예요."

"엄마를 기다렸다면 보육원을 떠나지 않으려고 했을 텐데요?"

"상지 보살님 계시잖아요. 쏙 이해가 되게 설명하시는 보살님이요."

수희가 웃었다. 그러자 다른 사람들도 따라 웃었다. 공감하는 얼굴로.

"미랑이는 여기가 제집인 줄 아는 거 같아요. 저를 엄마로 아는 거 같고요. 제가 그동안 보육원을 드나들었기 때문에 미랑이도 제가 보육원 선생이었다는 걸 알거든요. 그런데 여기로 온 후로는 저를 엄마로 아는 거 같아요."

수희가 걸음을 옮기며 말했다.

"호칭 때문이 아닐까요? 부르고 싶었던 엄마라는 호칭을 마음껏 부르다 보니 자신도 모르게 엄마로 생각하게 된 거요."

혜륜이 조심스럽게 말했다.

"그런 면도 있지만 애들이 여길 자기들 집으로 생각하는 건 전적으로 보살님 힘인 거 같아요. 제힘으로는 안 되는데 아이들이 그렇게 생각하는 걸 보면 보살님 힘이라고밖에 말할 수 없어요."

수희 말을 듣고 사람들은 생각하는 표정을 지었다. 뭔가 떠오르는 생각이 있는 듯.

"어서 들어가세요. 그네 회원들, 두레박 회원들도 다 와 있을 거예요. 아랫마을에 계신 이장님도요."

"이장님도요?"

"들기름을 짜 오셨던 할머니 아드님인데 어머니를 통해 북한에서 온 사람들 얘기를 들었던가 봐요. 그래서 상지 보살님을 찾아와 내용을 물어서 보살님이 자세히 설명해 줬어요.

그랬더니 아랫마을도 〈따뜻한 우리, 참다운 대한민국〉 지회가 되고 싶다 해서 오늘 오시라고 했어요."

"우릴 기다리는 사람들이 많군요. 어서 들어갑시다."

총장이 유쾌한 표정을 지으며 걸음을 옮겼다.

일행이 현관으로 들어서자 전날처럼 회원들이 나와 반겼다. 그들 속에 송이 상진이 미랑이 모습도 보였다. 세 아이는 행복하면서도 당당한 표정으로 손님들을 맞았다. 서로 반갑게 수인사를 나누며 자리에 앉았을 때 상지 보살이 미랑이 어깨를 감싸며 말했다.

"오늘은 제 손주 셋이 상급학교에 진학하게 돼서 조촐한 잔칫상을 준비했습니다. 송이는 서울에 있는 고등학교에, 상진이는 강릉에 있는 고등학교에, 우리 미랑이는 강릉에 있는 중학교에 입학했습니다. 그러니 할미로서 잔치하지 않을 수 없지요. 제 손주들은 복이 아주 많습니다. 이렇게 많은 분이 와서 축하를 해 주니 말입니다. 너희들 일어나서 감사합니다, 하고 인사드려라."

상지 보살이 세 아이를 보고 말하자 아이들 셋이 일어나 공손하게 허리를 굽혔다. 고귀한 집 자제들 같은 품위 있는 얼굴들이다. 손 교수는 그런 세 아이를 보며 이 세상 모든 일은 생각이 만들어 간다는 걸 깊이 깨달았다. 그걸 느끼는 순간 밧줄 하나가 툭 하고 끊어지는 게 느껴졌다.

"식사하기 전에 이장님 소개부터 드리겠습니다. 아랫마을 이장님이신데 군에서 과장으로 근무하시다 정년퇴직하고 지금은 마을 일을 보고 계십니다. 아랫마을도 〈따뜻한 우리, 참다운 대한민국〉 회원이 되고 싶다 하셔서 제가 오늘 오시라고 했습니다."

상지 보살 설명을 듣고 이장이 자리에서 일어났다. 공무원으로 한 생을 산 분 같은 안정감이 느껴졌다.

"훌륭한 자리에 함께 참여시켜 주셔서 감사합니다. 저는 이 마을에서 나서 67년을 살아온 정윤교입니다. 저희 마을에 참다운 대한민국을 세울 기반이 닦여지고 있어 감격스럽습니다. 저희 마을도 할 수 있는 모든 힘을 기울여 동참하겠습니다."

정윤교 씨 말이 끝나자 모두 환영의 박수를 쳤다.

"지회를 만드시려면 이름이 있어야 합니다. 그래야 호적에 올리지요."

두레박 회장이 웃으며 말했다. 전날 지회 이름 짓느라 고생을 했다고 실토한 수학 교사다.

"그럼 저희는 〈백운(白雲)〉으로 하겠습니다. 하늘에 높이 떠 있는 백운이 좋아서요."

"백운 지회가 결성되면 〈따뜻한 우리, 참다운 대한민국〉 지회 중에서 가장 높은 이름이 될 거 같습니다. 하늘에 떠 있는 백운(白雲)보다 더 높은 건 없으니까요."

원해가 웃으며 말하자

"역시 작명은 중요하군요. 단박에 제일 높은 지회가 됐으니 말입니다."

"지회 작명까지 하셨으니 이제 식사를 하시지요. 식사 후에 하고 싶은 얘기를 더 하기로 하고요."

"그때가 되면 손 교수님 노래도 들을 수 있습니까?"

한 회원이 묻자

"물론 있습니다. 제가 이렇게 건재해 있잖습니까."

손 교수가 웃으며 손을 들었다.

"오늘은 잔칫날이니 제가 먼저 청하겠습니다."

상지 보살이 웃으며 손 교수를 바라봤다.

"그 시간이 빨리 오기를 기다리겠습니다."

웃고 떠드는 사이에 음식이 상 위에 차려지고 송이, 상진이, 미랑이는 세상에서 가장 행복한 표정을 지으며 맛있는 음식을 골라 먹고 있었다.

17

본래 자리로 돌아가려는 끝없는 노력

총장실 소파에 박 총장, 노 기자, 강원해가 앉아 사진을 들여다보고 있다. 총장이 사진을 보며 설명하고 노 기자와 강원해는 경청했다.

"지금 가장 염려스러운 건 심장 수술을 한 게 완치되기 전에 뇌경색이 오는 거라고 하더군. 이 부위가 터지면 뇌경색이 되는데 지금으로 봐서는 터질 확률이 아주 높다는 거야."

"그러니까 뇌경색이 올 확률이 아주 높은데도 뇌수술을 할 수 없는 게 문제군요."

"그렇지. 심장 수술과 뇌수술을 동시에 할 순 없잖아. 그런데 윤 여사 주변엔 정말 그렇게 사람이 없어?"

"현재 드러난 거로는 그렇습니다. 따님하고도 1년 전에 합가했더군요."

"그래?"

총장은 잠시 생각하는 표정을 짓다가

"모든 게 잘돼도 윤 여사가 병원에 있어야 할 기간은 반년이 넘을 거 같은데 재산 관리는 어떻게 하는 게 좋겠어? 실제 재산이 있다면 관리해 줄 사람이 있어야 할 거 아니야."

"강 박사도 그 문제를 염려하면서 저보고 알아보라고 해서 힘닿는 대로 알아봤습니다. 윤 여사는 지금 강남에 70평대 규모의 아파트에서 딸과 가사 도우미와 살고 있습니다. 가사 도우미는 직업소개소에서 소개를 받은 분인데 국적은 한국 국적이 아니라고 하더군요. 그래서 좀 불안한 감이 있습니다. 윤 여사는 1년 계약직으로 가사 도우미를 쓰는데 앞으로 남은 계약 기간이 8개월 정도 된다고 합니다. 그래서 강 박사하고 제가 도우미 아주머니한테 8개월분의 급료를 주고 해직을 시키는 게 어떨까? 하는 생각을 해 봤습니다. 윤 여사도 평소에 사람을 믿지 못해 중간에 해고한 적이 몇 번 있었다고 하더군요. 사는 아파트를 폐쇄하고 따님은 따로 거처를 마련해 주는 게 좋을 거 같습니다. 관할 파출소와 상의해서 보안 조치를 철저히 하고요."

"그리고?"

"그리고 제가 알아본 바로 윤 여사는 부동산 계열의 회사를 운영하고 있었습니다. 서울에 빌딩이 두 채 있는데 10층짜리와 17층짜리라고 합니다. 직원은 다섯 명이고, 나이가 든 부인이 가장 오래 있었다고 하더군요. 빌딩 이외에 땅도 수만 평 되는데 모두 요지에 있는 노른자위라고 합니다. 윤 여사는 땅을 보는 안목이 탁월해 노른자위 땅을 찍어서 사는 본능적인 촉수가 있다고 합니다."

"재물 운이 센 사람은 그런 촉수가 발달 돼 있다 하더군. 그리고?"

"재산 관리는 전담 변호사가 맡아 한답니다. 직원 말로는 부채가 전혀 없는 알토란 회사라고 자랑하면서 윤 여사가 사람을 믿지 못하는 습성이 있지만, 그 변호사만은 비교적 신뢰하고 있다 하더군요."

"그럼 그 변호사한테 윤 여사 상황을 빨리 알려야겠군. 법적인 조치를 할 일이 있으면 해 놓게."

"저도 그렇게 생각하고 있습니다. 아 참, 그리고 윤 여사 이름은 30살에 개명한 이름이랍니다. 윤설화라는 이름 이전에는 윤정임이라는 이름을 썼다고 합니다. 더 자세한 인적 사항은 경찰청에 의뢰하면 알아볼 수 있지만 프라이버시에 관계된 일이라 그렇게 하지 않았습니다."

"우리야 경찰청에 의뢰해서까지 알아볼 필요가 없지. 어린 여학생이 우리한테 도움을 청했으니 그 범위 내에서 책임을 다하면 되는 거니까."

"강 박사와 저도 그렇게 생각하고 있습니다."

"지금 시간이 어떻게 됐지?"

시간을 확인해 보던 총장이 원해를 보고 말했다.

"윤 여사 따님이 와 있겠군. 비서실에 연락해서 들어오라고 해."

"제가 가 보겠습니다."

잠시 후 원해가 후를 데리고 왔다.

"어서 와요. 점심은 먹었어?"

"네."

여학생은 바싹 마른 입술을 축이며 자리에 앉았다.

"어머니 때문에 걱정이 많지?"

"…."

"오늘 후를 오라고 한 건 후가 우리한테 도움을 청했고, 우리도 후를 도와야 한다는 생각에 중요한 몇 가지를 알아봤어. 그걸 후에게 알리고 앞으로 어떻게 하는 게 좋을지 같이 의논을 해 보려고 오라 했어."

총장이 설명했다.

"감사합니다."

"후는 엄마에 대해 알고 있는 게 있어? 건강이나 재산에 관해서. 그런 걸 알아야 후가 앞으로 어떻게 해결해 나갈지 방향을 세울 수 있잖아."

"전 엄마에 대해 알고 있는 게 전혀 없습니다. 엄마와 같이 산 지도 1년밖에 안 됐거든요."

"그럼 그동안은 어디서 살았는데?"

"…."

"말하기 싫으면 안 해도 돼. 지금 우리가 걱정하는 건 후가 감당하기엔 엄마 문제가 너무 크고 무겁다는 거야. 건강 문제도 그렇고 재산 문제도 그렇고. 그래서 후하고 상의해서 우리가 도울 수 있는 건 도우려고 해. 후도 그럴 마음 있어?"

"네…."

"강 박사가 우리가 알고 있는 내용을 설명해 주지."

"네. 이 사진은 어머니 심장과 뇌를 촬영한 거야. 수술 직전에 촬영한 거라고 해. 심장과 뇌가 다 위험하게 느껴져서 병원에서 같이 촬영한 거래."

원해는 사진을 펴 놓고 어머니가 지금 어떤 상태인지를 자세히 설명했다. 수술한 심장이 치료되기 전에 뇌경색이 되면 어머니는 사망할 수도, 반신불수가 될 수도, 언어장애인이나 시각장애인이 될 수 있다는 말도 했다. 그리고 지금 병원에선 최선을 다해 치료하니 그런 최악의 결과는 오지 않으리라 믿고 기다리자고 했다. 원해의 설명을 들은 후는 공포에 질린 표정을 지으며 고개를 숙였다. 17살 소녀가 감당하기엔 너무나 버거운 짐임을 몸으로 표현하고 있었다.

건강 문제를 설명한 원해는 다시 재산에 대해 설명했다. 어머니 주위에서 재산을 관리해 줄 사람이 없으므로 재산에 관해서도 파악을 해 봤다고 이해를 시킨 후, 알고 있는 재산을 설명했다. 그런 후 복잡한 채무 관계가 없어 어머니가 완쾌할 때까지 큰 어려움은 없을 거 같다고 안심을 시켰다. 그다음 아파트 문제와 변호사 문제를 꺼냈다. 집에 귀금속이나 통장 등 중요한 서류들이 있을 수 있으니 어머니가 퇴원할 때까지 아파트를 폐쇄하고 후는 다른 데 가 있으면 좋겠다고 제안했다. 그리고 지금까지 재산을 관리한 전담 변호사가 있으니 그 사람에게 어머니의 현 상황을 설명하고 재산에 관한 모든 걸 위임시키자고 했다. 설명을 들은 후는 그 역시 감당하기 어려운 듯 절망적인 표정을 지으며 고개를 숙였다.

"후가 아파트를 폐쇄하고 다른 데로 거처를 옮길 의향이 있으면 우리 학교 기숙사 부근에 방을 알아보도록 할게. 믿을 만한 여학생과 연결해 줄 수도 있고."

원해의 긴 설명을 듣고 난 후는 바싹 마른 입술을 침으로 축이고 나서 또렷한 목소리로 말했다.

"저와 저의 어머니에게 도움을 주시고 계신 박사님들의 이 은혜, 잊지 않겠습니다. 저는 지금 어려서 혼자 판단할 수 있는 게 아무것도 없습니다. 아파트를 나오는 거 이외에는요. 모든 건 박사님들이 시키는 대로 따라 하겠습니다."

후를 가만히 바라보던 총장, 강 박사, 노 기자는 후가 똑똑하고 이성적인 소녀라는 생각을 동시에 했다.

"지금 병원엔 누가 있지?"

"간병인이요."

"강 박사가 시간이 되면 저녁을 먹여 보내지."

총장이 시계를 보며 말하자

"그러겠습니다."

원해가 그러겠다고 했다.

"강 박사와 저녁을 먹고 들어가. 병간호를 하려면 체력이 강해야 해."

총장이 안심을 시켜 주고 싶은 듯 미소 지었다.

"전 그냥 병원에 가겠습니다. 엄마 곁에 있고 싶어요."

후가 고인 눈물을 보이지 않으려는 듯 고개를 숙였다.

"그렇다면 얼른 병원에 가. 연락할 일이 있으면 강 박사한테 수시로 하고."

"감사합니다. 안녕히 계세요."

후가 고개를 숙이고 자리에서 일어났다. 원해는 문밖까지 따라 나가 후를 배웅하고 돌아왔다.

"너무나 벅찬 짐이군요. 저 어린 소녀가 감당하기엔."

원해가 자리에 앉으며 말했다.

"후를 강릉에 한번 데려가면 어떻겠습니까? 강릉에 가서 상지 보살님을 만나게 해 주면 뭔가 해결책을 찾을 수 있을 거 같은데요."

노 기자가 조심스럽게 제안하자

“그거 좋은 생각이군.”

총장이 밝은 표정으로 찬성했다.

“저도 그랬으면 좋겠습니다. 상지 보살님이나 수희 씨를 만나게 해 주는 게 가장 좋은 방법일 거 같습니다.”

원해도 찬성했다.

“지혜의 통찰력으로 대상을 파악하고 그 대상에 맞게 해답을 주는 상지 보살님은 높은 수행자의 표상임에 틀림없어. 적당한 때를 봐서 후를 데리고 강릉에 가서 상지 보살님과 수희 씨를 만나게 해 주자고.”

총장이 이렇게 말하며 자리에서 일어났다. 그러자 두 사람도 자리에서 일어났다. 후를 데리고 강릉에 가는 일을 기정사실로 굳히면서.

‘그동안 당신 마음을 불편하게 해 줘서 미안하오. 이젠 우리 일을 정리할 시점에 이른 거 같소. 당신이 나를 한 남자로 소유하겠다는 마음을 가지지 않는다면 나는 당신과 당신이 낳을 아이, 그리고 당신 어머니인 장모님을 최선을 다해 지키며 살겠소. 하지만 당신이 나를 한 남자로 소유하려 한다면 나는 당신 곁을 떠날 수밖에 없소. 나는 당신의 남편으로 한

생을 살 수가 없소. 그건 내 운명이오. 당신이 현명한 선택을 하기 바라오.'

손 교수는 편지를 아내 눈에 잘 띄는 식탁에 놓고 나오려다 도로 주머니에 넣었다. 편지로 의사 전달을 하는 것보다는 대화로 문제를 풀어 가야 할 거 같아서였다. 그러나 막상 아내와 마주 앉아 그런 얘기를 나누려니 자신이 없었다. 그래서 도로 주머니에서 편지를 꺼내 식탁에 놓고 몸을 돌렸다. 현관에 서서 신을 신으려는데 아내가 방에서 나왔다. 아내 배는 바라보기에 민망할 정도로 불러 있었고 얼굴은 몹시 지친 표정을 하고 있었다. 불룩한 배와 지친 아내의 얼굴을 보는 순간 손 교수는 가슴이 철렁 내려앉는 걸 느꼈다. 그 감정을 딱히 설명할 순 없지만 누군가가 한마디로 말하라고 한다면 그건 공포감이었다. 아내 배 속에 있는 아이가 피멍이 들어 있을 거 같은 공포감, 손 교수는 세차게 머리를 흔들며 도로 신을 벗었다. 그리고 식탁에 가 앉았다.

"우리 잠깐 얘기 좀 합시다."

손 교수가 식탁에 있는 편지를 자신 앞으로 끌어당기며 의자에 앉았다. 그러자 아내도 맞은편 자리에 앉았다.

"그동안 많이 힘들었지? 당신을 힘들게 해서 미안하오."

손 교수는 진심으로 사과했다.

"…."

아내 두 눈에 눈물이 가득 고였다. 진심으로 한 말이 아내 가슴을 울린 거 같았다.

"이건 내가 당신한테 쓴 편지요. 이 편지를 읽고 이야기를 합시다."

손 교수는 자신 앞으로 끌어당긴 편지를 도로 아내 앞으로 밀어 줬다. 아내와 이야기를 시작하는 일이 너무 힘들게 느껴졌다. 그래서 편지를 읽게 하고 거기서부터 이야기를 풀어 가야겠다고 마음먹었다. 말없이 남편을 쳐다보던 아내는 봉투 속에서 편지를 꺼내 읽기 시작했다. 그러던 아내 얼굴이 순간적으로 흙빛이 되었다. 손 교수는 주의 깊게 아내 얼굴을 바라봤다. 어떤 대목을 읽고 아내 얼굴이 저렇게 변하고 있을까를 생각하며. 읽은 편지를 손에 들고 있던 아내가

"당신은 참…."

심호흡을 깊게 하고 나서

"무서운 사람이군요."라고 말했다.

그 말을 듣는 순간 손 교수는 아내가 무슨 말에 충격을 받았는지 알 수 있었다. 그걸 알고 나니 손 교수도 가슴속이 얼얼해졌다. 손 교수는 잠시 마음을 진정시키고 조용히 말했다.

"나는 지금 당신 배 속의 아이가 행복하기를 바라오. 나중에 세상에 태어나서도 행복하기를 바라오. 그 아이가 행복하

게 자라도록 나는 최선을 다하려 하오. 이건 지금의 내 진심이오. 그리고 당신도 행복하기를 바라오. 당신을 행복하게 해 주기 위해 나는 최선을 다하려 하오. 이것 역시 지금의 내 진심이오. 이와 똑같이 당신 어머니, 장모님도 마찬가지요. 장모님 역시 행복하기를 바라고, 행복하게 해 드리기 위해 최선을 다하려고 하오. 하지만 이 모든 것은 당신이 나를 한 남자로 묶어 놓지 않을 때 가능한 일이오. 나는 운명적으로 당신의 남자로만 살 수가 없소. 그걸 당신이 깊이 헤아려 주기 바라오."

"…."

"나를 떠나 세 사람이 행복할 수 있다면 나는 그 일도 돕겠소. 하지만 그렇지 않다면 나는 당신과 태어날 아이 그리고 장모님을 일생 동안 지키고 보호하겠소. 최선을 다해서 말이오. 내 제안을 당신이 어떻게 받아들일지는 모르겠소만 가급적 빠른 시일에 결정을 내려 주기 바라오. 말로 하기 어려우면 나처럼 편지를 써도 무방하오. 아무 말을 하지 않아도 되오. 말을 하지 않으면 내 제안을 당신이 받아들인 것으로 이해하겠소."

"…."

"나 잠깐 나갔다 오리다. 저녁은 우리 세 식구 외식합시다. 6시경에 전화할 테니 장모님도 미리 와 계시라고 하오. 배 속의 아이도 맛있는 거 먹을 준비를 단단히 하라 이르구려."

손 교수는 이렇게 말하고 나서 아내를 바라보며 따뜻한 미소를 지었다. 그러자 아내 두 눈에 다시 눈물이 가득 고였다. 아내 두 눈에 고인 눈물을 보면서 손 교수는 아내가 어떤 결정을 내렸는지를 알 수 있었다. 이러면 되는걸. 못난 놈 같으니라고. 손 교수는 자신을 향해서도 따뜻한 미소를 지어 주고 아파트를 나왔다. 아파트를 나오니 제일 먼저 목련이 눈에 들어왔다. 하얀 꽃잎을 뾰족하게 말아 가지마다 자욱이 매달고 있었다. 한참 동안 서서 목련을 바라보고 있던 손 교수는 목련 가까이 다가가 친근하게 말했다. '수고했어. 애썼어. 겨울을 이겨낸 네가 아주 장해. 음!'

손 교수는 혜륜의 안내를 받으며 찻집으로 들어갔다. 초록색 화분이 듬성듬성 자리를 잡고 있어 전체 분위기가 밝고 아늑했다.

"저쪽에 계세요."

혜륜은 손으로 회원들이 있는 곳을 가리키며 앞장섰다. 손 교수는 혜륜을 따라 안으로 들어갔다. 찻집은 회의장을 연상시킬 만큼 확 트여 있었다. 조금 안으로 걸어가자 회원들이 자리에서 일어나 손 교수를 맞았다. '어서 오십시오. 반갑습니다.' '이렇게 뵙게 돼서 영광입니다.' '똑똑한 따님을 두신 송 선생님이 오늘처럼 부러운 적이 없습니다. 손 교수님을 모셔오다니요.' 모두 한마디씩 인사를 하며 자리에 앉았다. 손 교수도 '반갑습니다.' '고맙습니다.'라는 말로 답례를 하며 자리에 앉았다.

"이분이 저희 아버지시고, 옆에 계신 분은 저희 어머니세요. 다른 선생님들은 직접 소개하세요."

혜륜이 밝게 웃으며 좌중을 둘러봤다. 그러자 혜륜 어머니 옆에 앉은 회원부터 차례로 돌아가며 자기소개를 했다. 학교 이름, 가르치는 과목, 이름, 자신의 인성 등. 인사가 끝났을 때 혜륜 아버지가 마무리를 지었다.

"참여한 〈여백〉 회원 수는 현재 37명입니다. 대부분이 교사고 나머지는 회원들의 형제나 친구들입니다. 오늘은 교수님 팬카페를 운영할 멤버 10명만 모였습니다. 저희가 팬카페를 운영하도록 허락해 주셔서 감사합니다."

"봄날은 간다를 즐겨 부르시는 아버님이시군요. 뵙게 돼서 반갑습니다."

손 교수가 웃으며 고개를 숙였다.

"그 소문이 그렇게 넓게 났습니까?"

송 선생이 눈을 크게 뜨며 물었다. 그러자 혜륜이 전날 강릉에서 있었던 일을 간단히 소개했다.

"어머 그래요? 그렇다면 두 분이 듀엣으로 부르는 봄날은 간다를 듣고 싶네요."

한 회원이 청했다.

"언젠가 기회가 오겠지요. 기회가 오면 저도 손 교수님과 듀엣으로 봄날은 간다를 꼭 한번 부르고 싶습니다."

봄날은 간다가 화제에 오르자 긴장했던 분위기는 순식간에 풀어졌다. 그러면서 저마다 하고 싶은 얘기를 자유롭게 했다.

"교수님은 오페라 말고 뮤지컬에도 출연하셨는가요?"

국어 선생이 물었다.

"뮤지컬 출연은 하지 않았습니다."

손 교수가 미소 지으며 대답했다.

"오페라 하고 뮤지컬은 다른가요? 전 원소, 원자, 분자는 알지만, 음악은 잘 몰라서요."

화학 선생이 애교 있게 웃으며 손 교수를 바라봤다.

"저도 음악은 좀 알지만, 원소, 원자, 분자에 대해서는 잘 모릅니다."

손 교수는 미소를 짓고 나서 오페라와 뮤지컬이 어떻게 다른가를 간단히 설명했다. 오페라는 16세기 말 이탈리아에서 시작된 음악극의 전통을 따른 것으로 모든 대사가 노래로 표현되는데 이 노래는 대부분 이탈리아어로 되어 있다. 오페라는 음악, 문학, 미술, 무용이 어우러진 종합예술이지만 극의 대사가 노래로 이루어져 있으므로 음악적인 요소가 가장 강하다. 오페라 음악은 혼자 부르는 아름다운 선율의 아리아와 이야기하듯 부르는 레치타티보, 그리고 함께 부르는 합창으로 구성돼 있다. 남녀 주인공은 대개 테너와 소프라노로 노래를 부르는데 경우에 따라선 목을 사용하지 않고 호흡으로 소리를 내는 벨칸토 창법을 쓰기도 한다. 뮤지컬은 19세기경 유럽의 민중들이 즐기던 오페레타 문화가 미국으로 건너가 미국에서 춤, 재즈, 유랑극단 등 대중적인 요소와 결합해 탄생한 음악극이다. 뮤지컬은 음악과 드라마가 결합한 것으로 노래 가사도 그 지역의 언어를 사용하기 때문에 관객에게 훨씬 더 쉽게 다가갈 수 있다. 뮤지컬 배우는 노래 못지않게 춤과 연기실력도 갖추어야 한다. 손 교수는 오페라와 뮤지컬을 설명하고 나서 이렇게 마무리를 지었다.

"오페라 배우는 모든 대사를 노래로 해야 하므로 음악대학에서 음악교육을 받은 사람이 하는 경우가 많고, 뮤지컬 배우는 노래 못지않게 춤과 연기실력도 갖추어야 하므로 연극영화과나 무용과에서 연기 수업을 받은 사람이 하는 경우가 많습니다."

손 교수 설명을 들은 회원들은 두 장르를 이해하게 됐다는 표정을 지었다.

"교수님은 앞으로 어떤 노래를 부르고 싶으세요?"

"사람을 행복하게 하는 노래를 부르고 싶습니다."

"지금도 사람을 행복하게 하는 노래를 부르고 계시잖아요?"

"지금까진 행복을 아는 사람들이 행복해지는 노래를 불렀다면, 앞으론 행복을 모르는 사람들에게 행복을 알게 하는 노래를 부르고 싶습니다."

"그런 사람들이 누구죠?"

"가슴을 닫고 있는 사람들이나 행복 쪽으로 고개를 돌릴 줄 모르는 사람들이 그런 사람들이겠지요."

"그런 사람들이 있을까요? 모든 사람은 다 행복을 추구하며 살고 있는데요."

"있지요. 성공처럼요."

"성공처럼요? 어떻게요?"

"사람들은 성공을 추구하고 있지만 실제로는 성공이 뭔지를 모르는 경우가 많다는 거죠."

"교수님은 어떤 걸 성공이라고 생각하시는데요?"

"제가 생각하는 성공을 노래로 한번 불러 볼까요?"

"네, 교수님. 그래 주세요."

"지금 부르는 노래는 랄프 왈도 에머슨의 시입니다. 에머슨의 시에 제가 즉흥적으로 곡을 붙여 노래를 부르기 때문에 부를 때마다 곡이 약간씩 다릅니다. 오늘은 어떻게 부를지 저 자신도 모르겠는데 한번 불러 보겠습니다."

손 교수는 이렇게 말하며 자리에서 일어나 회원들이 잘 볼 수 있는 자리에 가 섰다.

자주 그리고 많이 웃는 것
현명한 이에게 존경을 받고
아이들에게 사랑을 받는 것
정직한 비평가의 찬사를 듣고
친구의 배반을 참아내는 것
아름다움을 식별할 줄 알며
다른 사람에게서 최선의 것을 발견하는 것
건강한 아이를 낳든
한 뙈기의 정원을 가꾸든
사회 환경을 개선하든
자기가 태어나기 전보다
세상을 조금이라도 살기 좋은 곳으로
만들어 놓고 떠나는 것
자신이 한때 이곳에 살았으므로 해서
단 한 사람의 인생이라도 행복해지는 것
이것이 진정한 성공이다.

손 교수는 음유시인이 시를 읊듯 '무엇이 성공인가'를 노래 불렀다. 우주 깊은 곳에서 울려오는 것 같은 노래를 듣고 있던 사람들은 모두 눈물을 글썽이며 손 교수를 바라봤다. 그러자 옆 테이블에 앉아 있던 사람들이 다가왔다. 조금 더 먼 테이블에 있던 사람들도. 홀 안이 술렁이면서 더 많은 사람, 더 멀리 있던 사람들도 다가와 손 교수를 에워쌌다.

"우리에게도 지금 그 노래를 들려주십시오."

가까이 다가온 사람들은 모두 표정으로 이렇게 말하고 있었다.

"그럼 한 번 더 부르겠습니다. 지금 부르는 노래는 아까 부른 노래와 다를지도 모릅니다. 제가 부르고 싶은 대로 부르니까요."

손 교수는 이렇게 말하고 나서 에머슨의 시 '무엇이 성공인가'를 다시 노래로 불렀다. 우주의 원음 〈옴〉에 근접하기를 염원하며. 노래가 끝나자 모두 숙연한 모습으로 서 있었다. 꿈을 꾸고 있는 듯한 표정을 지으며, 아니 꿈에서 깨어나는 듯한 표정을 지으며.

"성악가 손지운 교수님이세요. 알고 계신가요?"

혜륜이 미소 지으며 물었다.

"알고 있습니다. 저도 손 교수님 팬입니다."

중년의 신사가 감격해하며 말했다.

"어머, 그러세요. 그럼 저희와 같은 회원이네요. 저희도 손 교수님 팬들이에요."

"그렇습니까? 그런데 어떻게 손 교수님과 같이 여기에 계십니까?"

"저희가 팬카페를 결성하려고요. 그래서 손 교수님 허락을 받을 겸 인사를 드리려고 자리를 마련했어요."

"지금, 이 만남은 사람의 뜻이 아닌 거 같습니다. 팬카페 회원으로 등록하려면 어떻게 하면 됩니까?"

"유튜브에서 손지운을 검색하면 돼요."

"지금도 그렇게 하고 계시잖습니까? 저도 유튜브에서 다운 받아 교수님 노래를 듣고 있는데요."

"하지만 팬카페 결성 소식은 못 들으셨잖아요. 빠른 시일 안에 그 소식도 올라올 거예요."

"알겠습니다. 열심히 찾아보고 저도 회원으로 참여하겠습니다."

"감사합니다. 앞으로 만날 기회가 자주 있겠네요."

"노래 잘 들었습니다. 감사합니다."

다른 사람들도 손지운이라는 이름을 머릿속에 입력하며 몸을 돌렸다. 이게 무슨 횡재가 하는 표정으로.

"팬카페 회장은 난데 혜륜이가 회장 같잖아. 지금부터는 내가 말할 테니 혜륜은 입을 다물고 있어. 알았지?"

음악 선생이 화난 표정을 지으며 눈을 흘겼다.

"정말 그렇게 됐네요. 죄송해요, 선생님. 지금부턴 입을 꼭 다물고 있을게요."

혜륜이 어리광을 피우며 사과했다.

"우리가 자료로 쓸 수 있는 곡이 현재 몇 곡쯤 될까요?"

음악 선생이 물었다.

"수백 곡은 되겠죠. 세어 보지 않아 확실히는 모르겠습니다만."

"모두 영상물인가요?"

"대부분 그렇습니다. 무대 위에서 부른 노래들이니까요."

"지금 부른 곡은 거기에 포함돼 있지 않은가요?"

"그렇습니다. 마음대로 부르는 즉흥곡이라서요."

손 교수가 웃었다.

"지금 부르신 '무엇이 성공인가?'를 유튜브에 올렸으면 좋겠어요. 많은 사람이 그 시를 음미하면서 살아갈 수 있게요. 시는 암송이 잘 안 되지만 노래는 누구나 쉽게 가사를 외울 수 있잖아요. 저도 그 시를 노래로 부르면서 살고 싶어요."

혜륜이 어머니가 미소 지으며 말했다. 손 교수는 혜륜의 어머니가 풀숲에 핀 보라색 난초 같다고 생각하며 바라봤다.

소박하면서도 기품이 있었다.

"지금 오 선생님이 하신 말씀은 우리 모두의 생각이에요. 그 노래를 부르면서 살아간다면 진정한 성공에 이를 거 같아요."

다른 선생들도 간곡하게 청했다.

"그러겠습니다. 빠른 시일 안에 유튜브에 올리도록 하겠습니다."

"교수님은 어디서 노래를 부를 때가 가장 행복하세요?"

"전에는 화려한 무대에서 노래 부를 때가 행복했지만 지금은 연미복을 입지 않고 노래할 때가 행복합니다. 조금 전처럼요."

"교수님을 뵙고 나니 팬카페를 운영한다는 게 두렵게 느껴지네요. 손 교수님의 진실한 면을 어떻게 팬들한테 전달할 수 있을까, 하는 걱정이 앞서서요. 팬카페를 운영하고 싶다고 했지만 사실 저희는 경험이 없어 모든 게 서툽니다. 노 기자님과 혜륜이 철저하게 준비를 하겠다고 하니 어느 정도 안심은 되지만요. 손 교수님의 노래를 좋아하는 사람들이 모여 학대받는 생명을 돕고 싶은 게 저희 꿈이에요. 저희가 교수님 노래를 들으면서 위로받고 이해받고 있는 것처럼요."

"고맙습니다. 그렇게만 해 주신다면 저도 시키는 대로 따라 하겠습니다. 에머슨도 자기가 태어나기 전보다 세상을 조금이라도 살기 좋은 곳으로 만들어 놓고 떠나는 것이 성공이라고 하지 않았습니까? 선생님들이 계획하신 일을 잘 추진해서 목적을 달성하신다면 우린 모두 성공한 사람들이 되겠군요."

손 교수가 진심을 담고 말했다.

"상견례는 잘 끝냈으니 자리를 옮겨 저녁을 드시죠. 옆에 한식집이 있는데 거기 예약을 해 놓았습니다. 노 기자님과 음악 PD도 그리로 오신다고 했습니다."

회장이 말했다. 회장 말을 듣고 모두 행복한 표정을 지으며 자리에서 일어났다. 혜륜도 자리에서 일어나며 앞으로 자신의 모든 시간은 이 일을 위해 바쳐질지도 모른다고 생각했다.

"죄송하지만 오늘은 제가 동행을 할 수 없습니다. 저녁 약속을 이미 하고 와서요."

손 교수가 아내와의 약속을 떠올리며 말했다.

"교수님이 안 계시면 팥 없는 호빵인데 어떻게 하죠?"

음악 선생이 울상을 지었다.

"저녁 식사 말씀을 미리 드리지 않은 건 우리의 불찰이니까 할 수 없죠. 다음 기회에 모시는 수밖에요."

옆에 있던 선생이 중재했다.

"감정으로는 저도 함께하고 싶은데… 죄송합니다."

손 교수는 애써 미소 지으며 자리에서 일어났다. 앞으로 나는 감정에 역행하는 선택을 얼마나 많이 하면서 살아가게 될까?

와!

예경원으로 들어서던 사람들은 모두 탄성을 질렀다. 말 그대로 꽃대궐이다. 벚꽃 살구꽃 자두꽃 앵두꽃 매화… 분홍색 물결이, 분홍색 구름이 시야를 가득 메웠다. 그 아래 약초들도 저마다의 꽃잎을 활짝 피우고 가지들을 쭉쭉 뻗고 있었다. 생명의 약동, 생명의 에너지가 함성처럼 들려왔다.

"세상은 이렇게 아름다운 것이군. 감격스러운 것이기도 하고 말이야."

총장이 심호흡을 하며 말했다.

"눈을 뜨고 보니 그렇습니다. 눈을 감았을 때는 보이지 않았는데 말입니다."

노 기자가 말했다.

"그래서 눈을 뜬다는 것은 중요한 거야. 그때부터 주인으로 살 수 있으니까."

"총장님 도움이 절대적이었습니다."

"그렇게 말해 주니 고맙군. 자, 어서 들어가자고."

총장이 노 기자 어깨를 툭 치며 말했다. 그러자 옆에 서 있던 원해와 후도 걸음을 옮겼다. 생명의 에너지가 약동하는 약초 사이를 얼마간 걷자 상지 보살 집이 위용을 드러냈다.

"마당에 세워 놨던 패널은 치웠네요."

노 기자가 마당을 보며 웃었다.

"이미 봄이 와 있으니까 그 패널은 효력을 다한 거겠지요."

원해도 웃으며 마당을 바라봤다. 그때 나무 뒤에서 몸을 일으키는 상지 보살이 눈에 들어왔다. 상지 보살은 끼고 있던 목장갑을 벗으며 마당 쪽을 바라봤다. 우리를 기다리시는 거 같군. 총장이 웃으며 걸음을 빨리했다. 그러자 상지 보살도 웃으며 마당 쪽으로 나왔다.

"여기가 낙원입니다. 눈에 보이는 게 모두 꽃이군요."

"세상은 원래 낙원입니다. 못 봐서 그렇지요."

총장과 상지 보살이 나누는 대화를 들으며 노 기자가 원해를 보고 웃었다. 좀 전에 총장님과 나눈 대화를 저분들도 나누고 계시네요, 하며

"오늘은 밖이 좋습니다. 밖에 좀 앉아 있다가 들어가죠."

상지 보살이 목련을 가리키며 말했다. 그러자 일행도 상지 보살을 따라 목련 쪽으로 갔다. 하얀 꽃잎을 활짝 피운 나무 밑에는 야외용 나무 테이블이 놓여 있고 테이블 위에는 큰 다관과 찻잔이 놓여 있었다. 일행이 자리를 잡고 앉자 상지

보살이 말했다.

"약찹니다. 장 노인을 위해 준비해 놓은 건데 편하게 따라 드세요."

"그러겠습니다. 보살님도 한 잔 드시겠습니까?"

"전 좀 전에 마셨습니다. 어서 드세요."

총장이 컵을 들어 차를 따라 몫몫이 놓아 주었다.

"차는 따뜻하게 마시는 줄로만 알았더니 냉차도 좋습니다."

총장이 마신 찻잔을 테이블에 놓으며 웃었다.

"일부러 냉차를 마시는 사람도 있습니다. 수희와는 통화를 하셨는가요?"

"네, 오면서 했습니다. 아이들 마중을 나간다고요."

원해가 대신 대답했다.

"우리 손녀가 친구들을 스무 명이나 데려온답니다. 그래서 제 엄마가 작은 버스 한 대를 전세 내서 데리러 갔습니다."

상지 보살은 이렇게 말하고 나서 웃었다.

"할머니를 닮아 대보살이 되려나 봅니다."

총장도 따라 웃었다.

"판을 크게 벌이는 걸 보니 그러려나 봅니다. 이 학생이 전화로 말씀하셨던 그 학생이군요."

상지 보살이 후를 바라봤다.

"그렇습니다."

총장이 답했다.

"어머니 쾌유를 빌며 연등을 하나 만들어서 달아. 지극한 정성으로 등을 만들어 달면 어머니가 쾌차하실 거야."

상지 보살이 의외의 말을 했다. 그러자 모두 의아한 얼굴로 상지 보살을 쳐다봤다.

"이 학생은 불연이 아주 깊어서요. 그래서 등을 달라고 권했습니다."

상지 보살이 자신을 쳐다보는 시선에 답하듯 이렇게 말했다.

"불연이 뭔가요?"

후가 조심스럽게 물었다.

"불연은 부처님과의 인연이야. 가장 높고 가장 귀한 분과 깊은 인연을 맺고 있으니 부처님께 도움을 청해 봐. 지극한 마음으로."

자리를 같이한 사람들은 더욱 놀란 눈으로 상지 보살을 바라보았다. 지금까지 상지 보살을 보아왔지만, 불교 얘기를, 그것도 기복에 가까운 얘기를 하는 건 처음 보았기 때문이었다. 잠시 침묵이 흐를 때 후가 조심스럽게 물었다.

"어른들한테 꼭 묻고 싶었지만, 기회가 없어 못 물어봤는데 사람은 어떻게 태어나는 거예요?"

"왜 그 질문을 하고 싶었지?"

"엄마가 저를 낳아서 버렸거든요. 그래서 전 엄마한테 복수하는 심정으로 엄마를 괴롭혔어요. 그런데 어느 날 엄마가 이렇게 말했어요. '난 너를 낳고 싶지 않았어. 네가 내 몸에 태어난 것뿐이야. 그래도 난 너를 낙태시키지 않으려고 집에서 도망쳐 나왔어. 엄마가 병원으로 끌고 가려 해서야. 집을 나온 나는 힘들게 열 달을 버텼어. 그러다 더 이상 버틸 수 없어 너를 보육원에 맡긴 거야. 낳은 지 한 달밖에 안 된 너를 보육원 대문 앞에 놓고 돌아설 때 내 눈에도 피눈물이 흘렀어.' 그 얘기를 들을 땐 아무 감동도 받지 못했어요. 그런데 엄마가 수술실에 들어가서 수술을 받고 있을 때 병원 복도에 있는데 갑자기 엄마가 한 말이 생각났어요. 난 너를 낳고 싶지 않았어. 네가 내 몸에 태어난 것뿐이야. 엄마가 한 그 말을 떠올리는 순간 엄마에 대한 모든 원망이 사라졌어요. 그러면서 엄마에게 한없는 고마움과 미안함이 느껴졌어요. 그 순간 어떻게 하든 엄마를 살려 내야 한다는 생각이 제 온몸을 꽉 채웠어요. 전 엄마를 살려 내야 해요. 그래서 저 때문에 자신의 인생을 다 망친 엄마를 지켜 드려야 해요. 사람은 어떻게 태어나는 거예요? 그리고 연등을 만들면 엄마를 살릴 수 있나요? 연등은 어떻게 만드는데요?"

후가 절규하듯 물었다. 후의 말을 듣고 놀란 건 상지 보살이 아니라 박 총장, 강 박사, 그리고 노 기자였다.

“그 답은 본인이 찾아야 해. 아까 내가 말했잖아. 불연이 깊다고. 앞으로 부처님 가까이 살면서 그 답을 찾아봐.”

후가 절망적인 표정을 지었다. 그 답을 저보고 찾으라고요? 그것도 살면서요? 전 지금 당장 그 답을 알아야 해요. 후는 상지 보살을 보며 이렇게 울부짖고 있었다.

“부처님 가까이서 공부하다 보면 어느 순간 그 답이 찾아질 거야. 그 답은 다른 사람이 줄 수가 없어.”

상지 보살은 냉정하리만큼 단호하게 말했다.

“….”

“지금 법운사에는 많은 사람이 와서 연등을 만들고 있습니다. 탈북한 사람들도 많이 합류해 있습니다. 북한에 두고 온 가족의 평안을 빌기 위해서죠. 총장님도 북한에 있는 친구의 행복을 비는 등을 다시려면 직접 만들어 다세요. 모든 일에는 마음이 실려 있어야 하니까요.”

상지 보살이 화제를 돌렸다.

“보살님 말씀을 듣고 보니 그래야 할 거 같습니다. 우리 온 김에 등을 만들고 가지.”

총장이 말했다. 후를 데리고 가서 등을 만들게 해야겠다고 생각을 하면서다.

“이 사람이 올 때가 됐는데, 아 저기 오는군요.”

상지 보살이 무리 지어 오는 아이들을 보며 미소 지었다. 그러자 일행도 고개를 돌려 마당 쪽을 바라보았다. 그러던 후의 얼굴이 백지장처럼 하얘졌다. 잠시 숨이 멎은 듯 일행을 바라보던 후가 쏜살같이 달려가 송이를 꽉 끌어안았다. 송이도 자신을 끌어안는 사람이 진이임을 알고 마주 확 끌어안았다. 그러곤 숨이 멎은 듯 미동도 하지 않고 있었다. 그런 두 아이를 바라보던 수희가 후우! 하고 숨을 토해 냈다. 찢겼던 생나무가 마침내 하나로 합쳐지는 것 같은 광경, 저 광경을 내가 여기서 보다니!

"오늘 잘 오셨습니다. 이렇게 오신 것도 무슨 섭리 같습니다."

상지 보살이 조용히 미소 지으며 말했다. 섭리, 혹시 저 아이들이 펼쳐 갈 미래를 두고 하시는 말씀인가? 총장이 고개를 갸웃하며 생각하는 표정을 지었다.

18

생명의 실상, 법석을 차리다

9 설법지

해인스님이 결가부좌를 하고 법석에 앉아 계신다. 스님 주위가 고요하다. 고요함이 향기롭다. 반안(半眼)을 뜨고 정좌하고 계신 스님 모습이 아름다워 숨이 막힌다. 대중은 그런 스님을 경건한 마음으로 바라본다. 잠시 후 선정에서 깨어나신 스님은 대중을 둘러본다. 상지 보살, 불화장, 박 총장, 향산, 노 기자, 송혜륜, 강원해, 손 교수, 수희 모습이 차례로 스님 시야에 들어온다. 해인스님은 미소를 지으며 한 사람 한 사람을 바라보다가 조용히 입을 여신다.

오늘은 화엄경 10지품 중 9번째인 설법지에 대한 법문을 하겠습니다. 설법지 법문을 하기 전에 지난번에 공부했던 제8지 부동지 내용을 잠시 상기해 보도록 하지요. 제1지에서 진리를 깨친 구도자는 중생의 집에서 나와 보살의 집으로 거처를 옮겼습니다. 보살의 집으로 거처를 옮겼다는 것은 구도자가 머무는 곳이 보살의 세계라는 말과 같습니다. 이렇게 보살의 세계로 거처를 옮긴 구도자는 상구보리 하화중생의 원을 세우고 다시 치열한 구도의 길에 들어갑니다. 그 과정이 제1지 환희지에서 제7지 원행지까지의 얘기입니다. 원행지 다음인 제8지 부동지부터는 부처의 집, 부처의 세계입니다. 그러므로 제7지 원행지를 지나 제8지 부동지에 이른 보살은 목표했던 공부를 완성했다고 할 수 있겠지요. 상구보리는 부처의 지혜를 얻어 부처의 세계로 들어가는 것을 목표로 하니까요. 경전에서는 이때 다시 부처님이 등장해 보살이 나아갈 길을 알려 주신다고 했습니다. '그대는 아직 우리 부처가 지닌 십력(十力), 사무소외(四無所畏), 십팔불공법(十八不共法)을 얻지 못했다. 그러므로 보살이여, 부디 우리 부처가 지닌 이런 불덕(佛德)을 완성하도록 노력하라.' 이 말은 제8지 부동지가 보살로서는 최종 목적지인 부처의 세계지만, 불덕을 갖추어야 한다는 면에서는 새로운 출발점이 된다는 이야기입니다. 부처의 세계에서 부처와 하나가 된 보살은 일체지지(一切智智)를 향해 나아가게 됩니다. 부처와 동화된 보살은 무량한 신체, 무량한 음성, 무량한 지혜에 의해 보살로서의 수련을 계속해 가는 것이지요. 이때 보살이 해 가는 수련을 경전에서는 이렇게 설명하고 있습니다. '배가 바다를 향해 나아갈 때는 노를 저어야 하지만 일단 바다에 이르고 나면 이미 노를 쓸 필요가 없이 다만 돛대를 다는 것만으로 배를 몰아갈 수 있다. 더욱이 해상에서의 속도는 강에서 노를 저을 때와는 비교가 안 될 만큼 빠르다. 이처럼 보살이 부처의 대해(大海)에 들어간 다음에 하는 공부의 속도는 제7지 부동지 이전에 했던 공부의 속도와 비교할 때 백억 배, 천억 배 이상 빠르다.' 보살은 이런 여건 속에서 무공용으로 부처의 지혜, 부처의 덕, 부처의 능력을 완성해 가는 수련을 하게 됩니다. 여기까지는 여러분들도 이해하고 계시리라고 봅니다. 그럼 오늘은 제9지 설법지에 대해 법문을 하겠습니다.

제9지 설법지에 이른 보살은 중생의 마음, 중생의 번뇌, 중생의 업, 중생의 갖가지 양상을 잘 인식해 거기에 응해 중생이 해탈하도록 가르침을 폅니다. 이를테면 보살은 중생의 성숙도를 잘 파악해 성문의 가르침, 연각의 가르침, 보살의 가르침, 부처의 가르침을 설합니다. 그때 필요한 것은 중생의 마음, 미혹의 상황, 능력의 우열, 이해력의 정도, 활동 범위의 구별 등을 잘 파악하는 것입니다. 보살은 다시 중생의 행동에 순응하거나, 중생과 행동을 같이하기도 하고 중생의 번뇌나 이해력의 차별에 따라 보살 자신도 변신(變身)하기도 하면서 중생을 해탈로 이끌어 갑니다. 이렇게 볼 때 제9지 보살은 확실히 설법자로서 자각 속에서 중생구제를 하고 있음을 알게 됩니다. 이런 설법자로서의 자각은 이전 보살들에게서는 볼 수 없었던 면이지요. 그럴 때 제9지 보살에게는 설법자로서의 사무애지(四無碍智)가 나타납니다. 사무애지란 무엇에도 장애 됨이 없는 네 가지 지혜로 첫째는 불법에 장애 됨이 없는 법(法)무애지, 둘째는 불법의 도리를 이해하는 데 장애 됨이 없는 의(義)무애지, 셋째는 자유자재로 말에 통달하는 사(辭)무애지, 넷째는 이 세 가지 지혜에 의해 자유자재로 설법할 수 있는 변재(辯才)무애지 입니다.

법무애지란 모든 사물에 대해 각각의 본성, 서로 간의 차별을 인식하고 그것에 의거하여 활동의 방법을 정하는 것입니다. 또 모든 존재는 다 평등하고 결코 파괴되는 일이 없음을 알고 궁극에는 모두 부처의 세계에 들어갈 뿐임을 간파하는 것입니다. 이것이 법무애지입니다. 의무애지란 온갖 사물의 구별에 관한 지혜입니다. 과거 현재 미래의 모든 사물의 존재 양식에 대한 구별, 오온 십이처 십팔계 사성제 인연에 대한 구별, 성문 연각 보살 등이 열반으로 향하는 갖가지 길의 구별, 이제까지 논해 온 보살의 십지 확립과 십지 하나하나에서의 가르침의 구별, 중생의 마음 무수한 능력 무수한 이해력에 따라 구별해서 불법을 가르치는 일 등입니다. 이처럼 의무애지는 가지각색의 사물에 대해 구별하는 지혜입니다. 다음 사무애지란 모든 것을 잘 분별하는 지혜입니다. 이를테면 과거 현재 미래가 서로 혼잡되는 일이 없도록 분별하는 지혜, 세속적인 가치에 의해 진리를 나타내기는 해도 그 정신은 세속에 물들지 않도록 분별하는 지혜, 어떤 사람이라도 진리를 이해할 수 있게 말을 분별해서 설하는 지혜, 보살 십지의 각 단계에 응해서 이를 순수하게 분별하는 지혜, 모든 중생의 활동이 혼란하지 않게 여래의 입장에서 분별하는 지혜 등이 사무애지입니다. 마지막으로 변재무애지란 일체의 존재는 상호지속적이어서 한 찰나도 끊어짐이 없다는 사실을 헤아리고, 보살 스스로 진리의 무변한 광명을 갖추고 중생에게 불법을 설합니다. 또 중생의 마음을 잘 살핀 다음 그것에 응할 갖가지 방편을 교묘히 쓰기도 하고, 부처님의 지혜와 활동에 잘 따르면서 중생에게 법을 설하는 것이 변재무애지입니다.

제9지 설법지보살은 이런 사무애지를 자유자재로 구사하여 모든 중생을 해탈로 나아가게 함으로써 여래의 법장을 획득하여 대 설법자로서 자격을 갖추게 됩니다. 이때 보살은 가지가지 다라니를 얻게 된다고 합니다. 다라니는 불법을 마음에 새겨 잊지 않는 능력을 말하는데 여기서는 사물의 도리를 갖추고 있는 다라니, 무애나 무변의 성질을 갖추고 있는 다라니를 획득하게 되는 것입니다. 이와 같이 제9지 설법지보살은 지(地) 수(水) 화(火) 풍(風)의 미세한 원자에서 각기 헤아릴 수 없는 불가사의 불법을 방출하게 됩니다. 경전에서는 이때의 보살을 이런 말로 설명하고 있습니다. '우주에 있는 온갖 세계의 중생이 보살을 찾아와 저마다 질문을 한다 해도 보살은 그 무수한 질문의 뜻을 남김없이 이해하고 한 음성으로 답을 해 준다. 그러면 무수한 중생은 그 답을 듣고 저마다 의문을 다 풀게 된다.' 법장을 획득하여 대 설법자로 자격을 갖춘 보살은 자연히 중생의 귀의처가 됩니다.

지금까지 주마강산으로 제1지 환희지에서 제9지 설법지까지의 법문을 마쳤습니다. 산승(山僧)이 편의상 중생의 세계, 보살의 세계, 부처의 세계로 구별했지만 실은 이런 구별은 무의미합니다. 모든 세계는 원래 부처의 세계, 곧 비로자나불의 세계 안에 있기 때문입니다. 화엄경 10지품에는 엄연히 제10지 법운지가 포함돼 있습니다. 하지만 법운지는 부처의 세계에 근접해 있으므로 산승으로서는 그 세계를 도저히 설명할 수가 없습니다. 그래서 법운지 설명은 하지 않는 것으로 하겠습니다. 지금까지 1년여에 걸쳐 제 법문을 들어 주신 선우님들께 감사의 합장 올립니다. 미흡한 부분은 자리를 옮겨 서로 토론하면서 보완하도록 하십시오. 선우님들이 계셔서 저도 한없는 법열(法悅)을 느낍니다.

법문을 마친 해인스님은 합장하고 상지 보살, 불화장, 박광효 총장, 선우 향산, 노의근 기자, 송혜륜 작가, 강원해 박사, 손지운 교수, 한수희를 차례차례로 바라보며 미소 짓다가 조용히 고개를 숙인다. 선우에 대한 지극한 예경의 마음을 담고서다. 좌중은 깊은 감동 속에서 스님을 우러러보며 합장배례한다. 스승에 대한 지극한 예경의 마음을 담아서다. 아름답고 향기로운 법석, 부처님과 교류하고 있는 충만감이 장내를 가득 채운다. 그때 장내에 미묘한 법향이 구름처럼 서서히 피어오른다. 불보살님이 함께하고 계심인가? 사람들은 숨을 죽이며 두 손을 모아 합장하고 경건한 마음으로 고개를 숙인다. 법열(法悅)이 모두의 가슴에 피어오른다.

노 기자는 조용히 자리에서 일어나 방송 장비를 정돈한다.

법운사와 예경원에 이르는 넓은 공간에 100여만 개의 연등이 달려 있다. 들판 가득히 피어 있는 향기로운 꽃 같기도 하고, 하늘 가득히 떠 있는 찬란한 별 같기도 하다. 예경원 연못 주위엔 커다란 전광판이 설치돼 있고 그 앞에 무대가 준비돼 있다. 무대 앞에 놓여 있는 의자엔 국내 방송기자와 신문기자 그리고 외신기자들이 자리 잡고 앉아 열심히 노트북을 두드린다.

주위가 서서히 어둠 속에 잠기자 100여만 개의 연등이 일

제히 불을 밝혔다. 찬란하고 황홀하다. 그때 전광판에 글자가 떠오른다. '북쪽에 있는 나의 친구여, 부디 행복하소서. 부디 건강하소서.' 떠올랐던 글자가 서서히 사라진다. 그리고 이어 남쪽에 있는 강원도의 18개 시 군 이름이 전광판에 떠오른다. 그와 거의 동시에 북쪽에 있는 강원도의 17군 이름이 전광판에 떠오른다. 강원도에 있는 남 · 북의 35개 시 군 이름이 별처럼 반짝이며 어둠 속에 떠 있다.

전광판에 '북쪽에 있는 나의 친구여, 부디 행복하소서. 부디 건강하소서.' 하는 자막이 떠오른다. 그 자막은 잠시 머물다 사라지고 경기도의 31개의 시 군 이름이 전광판에 떠오른다. 그와 거의 동시에 황해남도의 20개 군 이름이 전광판에 떠오른다. 경기도와 황해남도에 있는 51개의 시 군 이름이 별처럼 반짝이며 어둠 속에 떠 있다.

전광판에 '북쪽에 있는 나의 친구여, 부디 행복하소서. 부디 건강하소서.' 하는 자막이 떠오른다. 그 자막은 잠시 머물다 사라지고 충청북도의 11개의 시 군 이름이 떠오른다. 그와 거의 동시에 황해북도 20개 군 이름이 전광판에 떠오른다. 충청북도와 황해북도에 있는 31개의 시 군 이름이 별처럼 반짝이며 어둠 속에 떠 있다.

전광판에 '북쪽에 있는 나의 친구여, 부디 행복하소서. 부디 건강하소서.' 하는 자막이 떠오른다. 그 자막은 잠시 머물다 사라지고 충청남도의 15개 시 군 이름이 떠오른다. 그와 거의 동시에 평안남도 27개 군 이름이 떠오른다. 충청남도와 평안남도의 42개 시 군 이름이 밤하늘의 별처럼 반짝이며 어둠 속에 떠 있다.

전광판에 '북쪽에 있는 나의 친구여, 부디 행복하소. 부디 건강하소서.' 하는 자막이 떠오른다. 그 자막은 잠시 머물다 사라지고 경상북도의 23개 시 군 이름이 전광판에 떠오른다. 그와 거의 동시에 평안북도의 25개 군 이름이 전광판에 떠오른다. 경상북도와 평안북도에 있는 48개 시 군 이름이 별처럼 반짝이며 어둠 속에 떠 있다.

전광판에 '북쪽에 있는 나의 친구여, 부디 행복하소서. 부디 건강하소서.' 하는 자막이 떠오른다. 그 자막은 잠시 머물다 사라지고 경상남도 18개 시 군 이름이 떠오른다. 그와 거의 동시에 자강도 18개 군 이름이 떠오른다. 경상남도와 자강도에 있는 36개 시 군 이름이 별처럼 반짝이며 어둠 속에 떠 있다.

전광판에 '북쪽에 있는 나의 친구여, 부디 행복하소서. 부디 건강하소서.' 하는 자막이 떠오른다. 그 자막은 잠시 머물다 사라지고 전라북도 14개 시 군 이름이 떠오른다. 그와 거의 동시에 함경북도 15개 군 이름이 떠오른다. 전라북도와 함경북도에 있는 29개의 시 군 이름이 별처럼 반짝이며 어둠 속에 떠 있다.

전광판에 '북쪽에 있는 나의 친구여, 부디 행복하소서. 부디 건강하소서.' 하는 자막이 떠오른다. 그 자막은 잠시 머물다 사라지고 전라남도 22개 시 군 이름이 떠오른다. 그와 거의 동시에 함경남도 20개 군 이름이 떠오른다. 전라남도와 함경남도에 있는 42개의 시 군 이름이 별처럼 반짝이며 어둠 속에 떠 있다.

전광판에 '북쪽에 있는 나의 친구여, 부디 행복하소서. 부디 건강하소서.' 하는 자막이 떠오른다. 그 자막은 잠시 머물다 사라지고 제주도 9개 시 읍이 떠오른다. 그와 거의 동시에 량강도 12개 군이 떠오른다. 제주도와 량강도에 있는 21개의 시 군 읍이 별처럼 반짝이며 어둠 속에 떠 있다.

전광판에 '북쪽에 있는 나의 친구여 부디 행복하소서. 부디 건강하소서.' 하는 자막이 떠오른다. 그 자막은 잠시 머물다 사라지고 부산광역시가 떠오른다. 그와 거의 동시에 남포시가 떠오른다. 부산시와 남포시는 별처럼 반짝이며 어둠 속에 떠 있다.

전광판에 '북쪽에 있는 나의 친구여, 부디 행복하소서. 부디 건강하소서.' 하는 자막이 떠오른다. 그와 거의 동시에 울릉도와 독도 이름이 떠오른다. 그와 거의 동시에 나진시가 떠오른다. 울릉도와 독도, 나진시는 별처럼 반짝이며 어둠 속에 떠 있다.

마지막으로 전광판에 '북쪽에 있는 나의 친구여, 부디 행복하소서. 부디 건강하소서.' 하는 자막이 떠오른다. 그 자막은 잠시 머물다 사라지고 서울이 떠오른다. 그와 거의 동시에 평양이 떠오른다. 서울과 평양은 별처럼 반짝이며 오래도록 어둠 속에 떠 있다.

전광판에는 한반도가 오롯이 모습을 드러내고 있고 그 위에는 한민족이 숨을 쉬며 살고 있는 지명이 찬란히 빛을 발하고 있었다. 모두가 벅찬 감동에 잠겨 있을 때 손지운 교수가 하얀 무명 바지저고리를 입고 무대 위로 등장했다. 그러자 연등 아래에 자리하고 있던 수천수만의 대중이 환호하며 박수를 쳤다.

아리랑 아리랑 아라리요
아리랑 고개를 넘어간다
나를 버리고 가시는 님은
십 리도 못 가서 발병 난다

아리랑 아리랑 아라리요
아리랑 고개를 넘어간다

청천 하늘엔 잔별도 많고요
우리네 가슴엔 수심도 많네

아리랑 아리랑 아라리요
아리랑 고개를 넘어간다
산 좋고 물 맑은 금수강산
꽃 피고 새 울어 봄철일세

아리랑 아리랑 아라리요
아리랑 고개를 넘어간다

합창이, 아리랑 합창이 하늘 가득 울려 퍼진다.

한반도를 에워싸고 있는 높고 높은 하늘 위로

세계 사람들은 전파를 타고 들려오는 아리랑 함성을 들으며 코리아는 하나여야 함을, 코리아는 이미 하나임을 가슴속에 새기고 있었다.

예경원 약초 사이로 예경 회원 얼굴들이 보인다. 그네 회원 얼굴도, 두레박 회원 얼굴도, 백운 회원 얼굴도, 여백 회원 얼굴도, 향산재단 회원들의 얼굴도, 인성재단 회원들의 얼굴도, 탈북민들의 얼굴도, 해인스님을 중심으로 한 공부 모임 회원들의 얼굴도, 손지운 교수 음악을 사랑하는 팬들의 얼굴들도… 송이 얼굴도, 진이 얼굴도, 상진이 얼굴도, 미랑이 얼굴도, 보육원 친구들 얼굴도, 장 노인 얼굴도, 김태교 얼굴도, 김동혁 얼굴도… 뜻을 같이하는 무수한 사람들의 맑은 얼굴도. 해가 갈수록 참여하는 사찰도 참여하는 단체도 참여하는 개인도 늘어날 것이다. 이들의 힘이 뭉쳐져 한반도의 통일을 이룰 것이며, 지구촌 곳곳에서 학대받는 생명을 지켜 낼 것이다. 〈따뜻한 우리, 참다운 대한민국〉이 지구촌을 평화롭게 지키는 좋은 친구로 세계인들의 신뢰와 존경을 받게 될 것이다.

세계는 한 송이 꽃, 널리 이로움을 함께 공유하려는 이 땅의 우린 모두, 생명을 활짝 꽃 피우는 단비이어라!!!

Humans do not die

제목 인간은 죽지 않는다 2*2
초판 1쇄 인쇄 및 발행 2025년 3월 1일

지은이 남지심

기획 정은성, 남정주
책임편집 전현서, 이종숙
편집 정소연, 김재우, 박윤희, 김태정, 이수빈, 정재홍
디자인 스튜디오 달사람 moonmanstudio@naver.com

펴낸이 정창득
펴낸곳 도서출판 얘기꾼
연락처 T_070.8880.8202 F_0505.361.9565
E_batistaff@naver.com
주소 서울시 종로구 삼일대로 30길21, 1214호

ISBN 979-11-88487-24-0 04810
979-11-88487-21-9 [세트]
출판등록 2013. 1. 28 [제300-2013-124호]